おた

Texto de acordo com as normas do novo acordo ortográfico da língua portuguesa (Decreto Legislativo Nº54 de 1995).

Editora – Catia Mourão
Capa – Décio Gomes
Diagramação – Catia Mourão
Revisão – Juliana Roeder

CIP-BRASIL. CATALOGAÇÃO NA PUBLICAÇÃO
SINDICATO NACIONAL DOS EDITORES DE LIVROS, RJ

I27q

Igrejas, Adriana

Qual é a minha tribo? / Adriana Igrejas. - 1. ed. - Rio de Janeiro : Ler, 2020. 108 p. ; 21 cm.

ISBN 978-65-86154-14-6

1. Ficção. 2. Literatura juvenil brasileira. I. Título.

20-67874 CDD: 808.899283
CDU: 82-93(81)

Leandra Felix da Cruz Candido - Bibliotecária - CRB-7/6135
01/12/2020 04/12/2020

Foi feito o depósito legal.
Direitos de edição:

Ler
EDITORIAL

Qual é a minha Tribo?

ADRIANA IGREJAS

1ª edição
Rio de Janeiro – Brasil

SUMÁRIO

Dedico este livro aos meus alunos e alunas que me inspiraram a escrever um romance infantojuvenil.

PREFÁCIO

Todo livro é uma incógnita. Na verdade, toda obra de arte é essa incógnita fascinante, sujeita ao gosto pessoal, por vezes, prisioneira de seu tempo que não a reconhece e até hostiliza, mas, antes de mais nada, vitimada pela opinião de estudiosos, da miopia imediatista de críticos aferrados a parâmetros inquestionáveis, provavelmente esquecidos que toda obra de arte é uma aposta na inquietação natural do gênero humano. Seguramente, o tempo é o melhor juiz de todas as coisas engendradas pelo humano. De qualquer modo, sendo obra do humano, muito provavelmente o humano, eterno insatisfeito que é, muitas vezes nem esperará tanto e a partir única e exclusivamente da satisfação de seu prazer pessoal, será capaz de avaliar e validar qualquer obra de arte, o livro inclusive, sem maiores ou pretensamente mais qualificadas intermediações.

Bom, depois que li *Qual é a minha tribo?*, de Adriana Igrejas, resolvi ousar e enfrentar tal empreitada. Modesto autor de livros infantis e juvenis, um renitente profissional sobrevivendo há quase quarenta anos de seu ofício no território árido de uma cultura periférica, onde leitores ainda são olhados com estranheza (imaginem os escritores...), mas um ávido leitor desde sempre, me lancei a mais essa emocionante aventura literária (e ao fim e ao cabo, todas são).

Dentro da melhor tradição da literatura voltada para jovens, o livro de Adriana Igrejas dialoga em igualdade de condições e sem maiores pressupostos ou preocupações com moralismos ou em enviar mensagens seja elas quais forem ou para quem for, muito menos para seus leitores, mas antes em se colocar, como eles, na condição de espectadores e partícipes nas descobertas fascinantes, atordoadoras e por vezes caóticas dessa que sem sombra de dúvidas é a melhor e mais febricitante etapa de qualquer existência.

Dina, sua protagonista, uma menina de treze anos, chega a esse universo inexplorado, onde todos, em algum momento de suas vidas, já desbravaram, mas que ainda guarda aquela aura de inexplorado, "audaciosamente indo aonde ninguém jamais esteve", como dizia o bom e velho seriado de ficção científica de meus tempos adolescentes. Tudo é incerto, tudo é desconhecido, tudo é acima de tudo e ao mesmo tempo, aceitação, contestação e transformação, e se eu for mais adiante, estragarei o prazer da leitura, que aos mais sensíveis (nada mais parecido com os jovens de hoje do que os jovens que fomos, e se você ainda se recorda desse período, será bem indulgente, nem duvide) ou os de mesma idade, se fará empática e não totalmente isenta de emoções igualmente intensas.

Há muito tempo, a escritora austríaca Marie Von Ebner Eschenbach disse a propósito de nós mesmos e a vida que "Quando somos jovens aprendemos. Quando ficamos velhos entendemos". Talvez, o que quer que eu pudesse ou fosse dizer sobre o assunto se transformasse em pálidas palavras, sem força diante das dela, mais poderosas no que tange recomendar a leitura deste livro para os jovens de hoje, mas, principalmente, para os de ontem, particularmente para aqueles que esqueceram que foram.

A vida é bela. A vida é única. A vida é o prazer de vivê-la até o fim, não como se fosse durar para sempre, mas como se fosse possível acreditar que ela pudesse durar para sempre como só um jovem sabe fazer, tem disposição e fé suficiente para tal. Mas não acredite em mim. Leia o livro.

Boa leitura!
Júlio Emílio Braz

Prólogo

Até os doze anos, acho que eu ainda era muito criança. Acredito que minha adolescência propriamente dita tenha começado aos treze. Por isso, começo minha narrativa nesse ponto, já que é da mesma época o início de meus dilemas e dramas pessoais. A cada ano da escola, eu tive alegrias, decepções e dúvidas. Acho que com todo mundo é assim. Como foi uma época marcante de minha vida, rememorá-la tem um gosto de saudade, nostalgia com uma mistura de perplexidade diante das grandes diferenças entre o que fui e o que sou hoje. Mas, ao mesmo tempo, o fato de que já era eu mesma como hoje sou em incontáveis nuances é assustador.

Meus dois últimos anos de Ensino Fundamental 2 e o Ensino Médio foram os anos de *Qual é a minha?* A cada ano precisei estar diante de grandes dúvidas e decisões. Como tudo é intenso nessa fase da vida, vivi plenamente grandes momentos, que aqui resolvo compartilhar com vocês.

Dina

Passeio da Escola

"Mãe, por favor, deixa eu ir!"

Já usou esta frase com sua mãe? É claro que sim, principalmente quando se tratava de uma saída em grupo com amigos da escola, não é? Todo mundo que é ou já foi adolescente sabe que um passeio ou excursão da escola é um grande acontecimento. Mesmo que seja uma visita a um museu chato, mesmo que seja o mais chato dos mais chatos dos professores que vai nos acompanhar. Não interessa. Sair da escola com os colegas é muito divertido! É como se você pudesse transportar o que há de mais legal na escola, seus colegas, para o mundo exterior... Ah, vai, você sabe do que eu estou falando!

E em se tratando de passeio de escola então... Você sabe, o que os professores chamam de *lúdico!* E o tão esperado passeio da turma 803 tinha chegado! Finalmente. No dia nove de novembro zarparíamos rumo ao desconhecido Sítio da Tia Mimi em Itaguaí. Duas piscinas, quadra de esportes, totó, sinuca, lago, pedalinho, pesque-e-pague, muito verde, almoço com churrasco a quilo e quatro professores nos acompanhando.

Pode não parecer grande coisa, mas como já disse, o que importa é a companhia! Meus colegas... numa situação diferente, com roupas normais... podendo mostrar nossas personalidades e corpos em outra coisa que não naquele horroroso uniforme do Colégio Nossa Senhora da Anunciada.

Nunca quis estudar em um colégio católico, mas o que fazer? Minha mãe achava que eu precisava de um pouco de religião na minha vida. Então, quando eu fui para o Ensino Fundamental 2, ela me colocou naquele colégio de classe média alta, bonito como um shopping center, velho como um museu e caro como uma faculdade. Educação de primeira categoria, dizia ela. E eu tinha que concordar em parte e não me importava tanto em assistir às missas e rezar, queria ser uma boa pessoa, afinal de contas. Sabia que a escola era boa. Os professores eram quase todos chatos, mas eu achava que era uma coisa normal. No entanto, eram bons professores, ensinavam direito e faziam os alunos passarem no vestibular. No final das contas, era só nisso que os pais pensavam. Ainda estava no oitavo ano do Ensino Fundamental e meu pai já queria que eu soubesse o curso que iria fazer na faculdade... como é que eu ia saber? Só tinha treze anos...

Então é isso: cabelos e olhos castanhos, meio baixinha, nem gorda nem magra, considerada bonita por muitos — principalmente por minha mãe e meu pai, não que eu discordasse ou concordasse particularmente, apenas sofria da insegurança da idade —, usando óculos desde os dez por causa de uma miopia avançada e brigando com alguns cravos e espinhas. Meu nome é Dinalva e eu tinha treze anos na época.

Dinalva, isso mesmo. Minha mãe e meu pai tiveram a coragem de fazer isso comigo! Colocaram esse nome medonho em mim para juntar os nomes deles: Dinaldo, meu pai, e Alva, minha mãe. Que culpa tenho eu que meus avós tinham mau gosto e deram esses nomes horríveis para eles? Tinham que se vingar em mim? Ah, lógico, segundo eles, adoram seus nomes e acharam bonita a combinação. Mas, sinceramente, Dinalva? Bonito? Ninguém merece um nome desses! Mas minhas amigas me chamavam de Dina, apelido que eu mesma criei para mim, porque achava e ainda acho infinitamente melhor que Dinalva. Dina não é lá muito bonito, mas é mais aceitável.

Com os amigos sempre foi moleza, era só pedir e eles me chamavam de Dina. Mas com os professores... Ah, não era tão fácil. Todo primeiro dia de aula eu tinha que me adiantar e ir lá à frente falar com o professor antes que ele fizesse a primeira chamada. Porque se me chamassem de Dinalva uma só vez, os mais engraçadinhos da turma iam me zoar o ano inteiro, ainda mais se percebessem que eu não gostava. Havia alguns professores difíceis de convencer. Eles cismavam de fazer discurso sobre o quanto o nome da gente é importante e que devemos ter orgulho dele, sabe? Papo de professor. Não funciona quando a gente tem treze anos e uns colegas sacanas.

Mas tudo bem. Quero dizer, *Dina* sempre me serviu bem e não é como se eu tivesse um grande problema na minha vida, né? Sempre tem gente com problemas piores... como aqueles garotos com câncer, sabe? Ou quando os pais se divorciam e coisa e tal. Os meus não! Ah, viviam grudados. Às vezes, acho que até demais. Então não tinha muito que reclamar da vida, entende? E naqueles dias, só o que tomava os meus pensamentos era o tal passeio da escola.

No dia anterior ao passeio, não consegui dormir cedo como planejei, porque fiquei na cama rolando, pensando em todos os detalhes: se estava me esquecendo de colocar alguma coisa em minha mochila, se a roupa que escolhi estava boa. Depois, fiquei ensaiando, na minha cabeça, coisas engraçadas para dizer e fazer meus amigos rirem. Fiquei imaginando que conversas teríamos! Depois, fiquei preocupada com o tempo, se ia fazer sol para podermos usar a piscina. Daí, me preocupei se eu ia ficar bonita no biquíni, se não ia parecer meio gordinha... E fiquei trocando mensagens com a minha amiga Mariângela pelo celular até umas duas da manhã sobre nossas expectativas para o passeio:

Mariângela Souza: Vai dormir, Dina! A gente vai acordar cedo.

Não consigo! Tanta coisa pra me preocupar! Será que vai fazer sol?

Mariângela Souza: Sei lá. Acho que sim.

Só perdi 1 Kg. Será que vai dar pra notar minha barriga naquele biquíni que te mostrei?

Mariângela Souza: Amiga, relaxa! Você tá ótima! #Boradormir?

Ok. Tentando. Partiu dormir.

Pobre da minha amiga! No finalzinho da conversa, que foi bem mais longa que isso, percebi que ela devia estar com muito sono e a deixei em paz. Ainda fiquei acesa por um tempo no escuro do meu quarto, mas o sono acabou chegando em algum momento depois que imaginei ou sonhei com os olhares de admiração do Alberto, o menino mais legal e lindo da minha turma, ao me ver de biquíni.

Acordei antes do alarme do celular tocar, às quatro da manhã. Tentei dormir mais um pouco, mas não conseguia. Dormia e acordava de tanta ansiedade.

Levantei-me, tomei um banho e me arrumei. Coloquei o biquíni novo, vermelho, que comprei com minha mãe no shopping no último fim de semana e, por cima, uma bermuda jeans e uma blusa nova. Calcei sandálias de plástico vermelhas — juro que estavam na moda. A mochila já estava pronta, só faltavam os sanduíches que logo minha mãe preparou. Tomei café e meu pai me levou de carro para escola como fazia todos os dias.

Acho que cheguei cedo, mesmo assim, já havia uma multidão de alunos aglomerados próximos aos ônibus do passeio. Minha turminha, digo, meus colegas mais chegados já estavam lá: Ana Clara, Ana Cláudia, Mariângela, os gêmeos Bernardo e Boris. Só faltava o Alberto. Ele só apareceu quando Dona Maria do Céu, a professora responsável pelo nosso ônibus, começou a fazer a chamada. A hora de embarcar era muito estressante, porque sempre era aquele problema: quem ia sentar com quem? E lógico que, do nosso grupinho, alguém ia sobrar, já que éramos sete. Como eu era uma tonta, lógico que não pressionei ninguém a sentar comigo. Só secretamente pedi em meus pensamentos que fosse o Alberto, por quem eu era apaixonada desde o quinto ano, ou a Mariângela, minha melhor amiga.

Mas a Mariângela se sentou com a Ana Clara, já que ela não me considerava sua melhor amiga tanto quanto eu a considerava, eu acho. É meio complicado. É que quando se tem um grupo de amigos, as preferências existem, mas assim como no amor, podem não ser correspondidas. E lógico que *eu* fui a excluída. Acabei me sentando sozinha na janela e como o lugar ficou vago até o fim, acabei tendo por companheira de viagem a outra professora no ônibus, Lourdinha, nossa professora de Artes. Encolhi-me ali, com medo de que a Professora Lourdinha inventasse um de seus experimentos artísticos na viagem e quisesse me usar de cobaia. É que entre outras coisas, ela era uma professora adoravelmente maluquinha.

Felizmente, meu grupinho se levantava ou se virava de seus bancos atrás e na minha frente para me incluir na conversa. Mas logo o clima de bagunça de excursão tomou conta e o Mário começou a tocar uma corneta que soltava um barulho semelhante a um mugido de boi. Dona Maria do Céu disse que tudo bem, desde que ele desse um intervalo de pelo menos meia hora entre uma mugida e outra e todo mundo caiu na gargalhada. Aí se espalharam diferentes sons de música pelo ônibus e Dona Maria do Céu interferiu de novo. Se cada um fosse ouvir sua música no viva-voz do celular ia ficar uma bagunça! Se, por outro lado, decidissem usar o fone de ouvido, todo mundo ia se isolar! Então ela decretou que tínhamos de participar de algo que chamou de tradição de excursão: cantar todo mundo junto! Alguns reclamaram, outros apoiaram. Fizemos algumas tentativas. O problema é que dificilmente todo mundo conhecia a letra das mesmas músicas... alguém deu uma ideia que deu certo por um tempo: colocava-se a música tocando no celular de alguém e cantávamos junto. Cantamos muito mal, mas foi divertido. Cantamos umas quatro músicas antes de o pessoal cansar e preferir ficar conversando.

Foi aí que surgiu o assunto:

— Dina, e você? Qual é a sua tribo? — perguntou Ana Clara.

— Oi?

— Sua tribo?

— Tipo assim, índio?

— Não, sua boba! Tipo sua galera...

— Minha galera são vocês.

— Você não assiste a *Jovens e Ação*?

— A novela? — continuei a perguntar como uma retardada.

— *Jovem e Ação* não é uma novela — reclamou Mariângela. — É um programa!

É, eu sabia daquilo. Nenhuma novela ficava no ar por mais de dez anos. Mas mesmo assim, parecia uma novela, só que uma que nunca acabava, o que para mim era quase um pesadelo, já que nunca gostei de novela. Não me incomodava tanto que estivesse no ar há tanto tempo, porque só o que eu tinha a fazer era não colocar no canal. O que parecia ser algo difícil de fazer para a maioria dos meus colegas. Por quê? Controle remoto — tecla — troca de canal; ou: botão de desliga — desliga.

O que me incomodava era ser vista como uma alienígena só porque não assistia. Minha mãe chamava isso de ter personalidade, outros chamavam de alienação, mas simplesmente não conseguia me convencer de que algo era bom, só porque todos diziam que era. Já tinha tentado assistir, juro. Mas, primeiro: achei as situações forçadas; outra: os personagens não se pareciam com ninguém que fosse real; e mais outra: pareciam querer nos dizer como tínhamos que agir ou pensar e isso me assustava. Ainda mais que tentavam mostrar como normais coisas que eu não considerava e nem considero até hoje como normais ou certas.

Eu só tinha treze anos, mas minha mãe conversava muito comigo e eu sabia a diferença entre certo e errado. E, caramba! Estudava em escola de freiras! Mas provavelmente se eu ficasse assistindo a *Jovem e Ação*, perderia minha noção em pouco tempo. Só tinha treze anos. Meu pai dizia que *Jovem e Ação* fazia lavagem cerebral na cabeça dos jovens.

— Ah, tá. É que eu não assisto muito... — menti. Não assistia nunca.

— Então, na *Jovem e Ação* todo mundo tem uma tribo — explicou Boris. — E a gente tava aqui discutindo para ver qual a nossa, quer dizer, de cada um.

— É. Eu sou *skatista*. Da tribo do *skate* — explicou Bernardo.

É, eu sabia que fora da escola Bernardo só vivia com um grupo de skatistas, frequentando essas praças de skate, que participava de campeonatos e tinha até uma medalha. Mas nunca havia classificado isso como uma *tribo*...

Ele sorria para mim enquanto falava e eu sabia que ele gostava de mim como garota, mas nunca incentivei muito, apesar de achar os olhos verdes dele muito lindos. No todo, era um garoto de doze anos, muito inteligente, mas muito magrinho e com um jeito de moleque. O irmão, gêmeo idêntico, era mais sério e menos moleque na atitude apenas. Mas eu só conseguia mesmo saber quem era quem, porque Bernardo usava um brinquinho e Boris não tinha orelha furada.

— Pois é, a gente tava vendo que é isso mesmo. *Jovem e Ação* é o máximo! Não é que todo mundo tem uma tribo mesmo? — continuou Mariângela. — A tribo define a sua imagem, seus interesses, o que a gente mais gosta, qual o nosso tipo de gente...

Achei *tipo de gente* um troço muito preconceituoso, mas não me animei a dizer isso a ela.

— Eu e o Alberto somos da tribo dos amantes de livros.

Odiei a palavra *amantes* numa frase envolvendo minha melhor amiga e minha paixão adolescente. Mas entendi o que ela queria dizer. Sim, o que eles eram eu sabia: *traças de livro*. Por isso se davam tão bem. Viviam falando sobre o último livro do fulano ou fulana de tal, gabando-se de terem lido livros com mais de quinhentas páginas, marcavam no shopping para ficar horas zanzando dentro das livrarias... O chato é que se achavam tão inteligentes por causa daquilo... e o pior é que *eu* os achava inteligentes por causa daquilo. Não sei como ainda não namoravam.

Bem que já tinha tentado ser como eles. Até gostava de ler, mas não tanto assim. Para mim, só os paradidáticos da escola já estava de bom tamanho. Bem, talvez um ou outro que eu encontrava na biblioteca da escola. Mas nunca o que estava na moda. Eu escolhia sem predileção por autor ou título. Gostava de me surpreender com um livro! A procura nas prateleiras empoeiradas da biblioteca era tão instigante quanto a própria leitura! E eu gostava também de escrever. Escrevia versinhos e outros textos. Sim, eu gostava de ler, mas não fazia do hábito uma espécie de religião, como meus dois amigos.

— Eu sou *otome* — pronunciou Ana Clara.

— Hein? — Não entendi mesmo.

— Puxa, Dina! Você não sabe que eu adoro *anime*?! *Otome* é o feminino de *otaku*, embora alguns não gostem do termo. Mas acho bonitinho ter um feminino.

Continuei na mesma. *Otome*? *Otaku*?

— *Otaku* é a minha tribo. O pessoal que é fã de *anime*.

— Você quer dizer desenho japonês? — Foi o que veio à minha cabeça.

— Ih... não chama de desenho japonês que ela fica nervosa... É *anime*! — defendeu Boris.

— Desculpa.

— E eu sou fanático por futebol. Jogo, assisto, não perco um jogo — sentenciou Boris. E a Ana Cláudia...

— Eu sou festeira. Adoro dançar, sair para festas, clubes, shopping...

— Isso é uma tribo? — perguntei, meio confusa.

— Claro. No *Jovem e Ação* eles mostram que é qualquer tipo de atividade que você faça de forma compulsiva, que você ame de paixão e identifique você com outras pessoas que fazem o mesmo — ela explicou.

É, pelo jeito, *Jovem e Ação* estava realmente ditando o comportamento dos jovens. E desde quando ser compulsivo por alguma coisa era visto como positivo? Será que estava todo mundo louco ou era eu que era estranha mesmo?

— Ah, tá, entendi.

— Então, qual é a sua? — cobrou Alberto, com aquele sorriso lindo que eu amava, naquele rosto moreno emoldurado por aqueles cabelos pretos, lisos e grossos, sempre mais compridos que os dos outros meninos.

Mas eu não tinha uma resposta. Nunca me interessei por nada tanto assim. Nada me fazia ser compulsiva...

— Eu não sei.

O olhar que me deram, eu não soube se era de pena ou de outra coisa, só sei que não gostei. Eu queria poder dizer qual a minha tribo, mas realmente não tinha nenhuma e nunca antes havia nem parado para pensar naquilo.

Dei graças a Deus quando mudaram de assunto e, mais ainda, quando chegamos ao sítio.

Como o sol fez o favor de aparecer, todo mundo se animou a cair na piscina. Menos a Ana Clara. Ela disse que não tinha trazido roupa de banho! Como assim? Como assim ir a um sítio com piscina e não levar roupa de banho? Mas ela acabou confessando que seu biquíni estava velho e fora de moda e não quis trazê-lo. Mas a nojentinha da Daiana, só para se exibir, trouxera dois biquínis, os dois de marca. Acabou por emprestar um para Ana Clara, porque pedimos.

Resolveu-se o problema do biquíni, criando outro: Ana Clara achou o biquíni muito cavado e não queria usá-lo na piscina de jeito nenhum! Também resolvemos o problema falando com o Rafael para ir até lá falar com ela. Depois que ele a elogiou, ela logo se soltou e saiu do vestiário feliz da vida no biquíni da Daiana. É que ela tinha uma queda pelo Rafael.

Fizemos muitas brincadeiras na piscina. E a boba da Ana Cláudia ficou fingindo que estava se afogando:

— Venham me salvar! Socorro!

— Salva ela, Alberto! — brinquei.

— Eu vou salvar! — disse ele, topando a brincadeira.

Ele foi em direção a ela e, chegando perto, puxou-a pelos cabelos, arrastando-a pela água. Ficamos surpresos e Ana Cláudia começou a gritar:

— Ai! Ai! Ai! Ai! Solta, Alberto! Para! Que palhaçada!

O comentário de Mariângela ainda trouxe mais graça à situação:

— Salvamento da idade da pedra!

Todo mundo riu, porque era só uma brincadeira e ele logo soltou os cabelos dela. Também dei uma de levada e mergulhei para ficar puxando o pé de todo mundo. Alguns também começaram a brincar de jogar uns aos outros na piscina. Juntavam dois e agarravam o indivíduo, um pelos pés e outro pelas mãos.

O pessoal estava mesmo num espírito brincalhão. Tanto que resolvemos fazer pegadinhas. Chamávamos um colega e contávamos uma história absurda para ver a reação dele e, secretamente, alguém escondido filmava. Valia desde dizer que já vira alienígenas ou fantasmas até dizer que roubou alguma coisa, só para ver a cara de panaca que outro faria se acreditasse ou fingisse que acreditava. O segredo era contar de um jeito bem sério... Os responsáveis pela brincadeira? Eu, Ana Cláudia, Boris e Bernardo.

Havia um cômodo na casa do sítio que deixaram à nossa disposição, para guardar bolsas, ou para descansar, fugindo do sol. Atraíamos nossas vítimas para lá e o Bóris ou o Bernardo filmava discretamente do lado de fora da janela. Mas só deu certo da primeira vez, com a Daiana. Rimos tanto que ela queria bater na Ana Cláudia, que a levou para lá e contou uma história sobre monstros na piscina! Daí pra frente parecia todo mundo desconfiado, sei lá. Achamos que a Daiana poderia ter falando que a gente estava querendo pregar peças.

Tentamos fazer com a professora Maria do Céu, mas em vez de levá-la lá no quartinho, chegamos até ela com a conversa boba:

— A senhora não vai entrar na piscina, não? — perguntei, me aproximando.

A professora colocou os óculos escuros e sorriu para mim enquanto se esticava na cadeira de praia.

— Não.

— Dona Maria fica bonita de óculos...

— Eu já sei o que é. Vocês estão gravando, né?

A chata da Daiana já tinha saído espalhando sobre a nossa brincadeira.

Tentamos ainda outras vezes, mas parecia que todo mundo já estava avisado. A última foi com a Bruna, uma colega com quem eu falava às vezes, quando não estava com meu grupinho.

— Bruna, preciso falar com você. É sério — falei bem sério, fingindo bem. — Vem comigo!

Ela foi comigo para o quartinho, embora bem desconfiada.

— O que é, hein? Olha, se for alguma sacanagem...

— É sério, vem! É coisa séria.

Entramos no quarto e nos sentamos na cama.

— Bruna, você nadou lá na piscina, né?

— Nadei, e daí?

— Você não viu um negócio lá na piscina?

— Ah, Dina! Você tá de sacanagem, né?

Aí ela viu a mão do Bóris segurando o celular na janela. Ficou uma fera.

— Ah, eu sabia!

A gente começou a rir, não deu para evitar. Ela saiu xingando, mas acho que depois perdoou a gente. Afinal, era só brincadeira.

O passeio foi ótimo! Brincamos, contamos piadas, jogamos vôlei, nadamos na piscina, jogamos totó e sinuca, almoçamos juntos e andei de pedalinho com Alberto!

Posso dizer que os momentos que passei com meu amigo dentro do cisne de metal foram deliciosos e torturantes. A delícia era por conta da minha incansável esperança de que ele também gostasse de mim do jeito que eu gostava dele. A tortura era por pensar mil vezes em tomar uma atitude, tipo beijá-lo ou dizer o que sentia, mas não ter coragem...

— Pedalinho é tão legal... — Eu odiava a minha total estupidez para falar algo que não fosse patético toda vez que estava perto dele. Para completar, ele não disse nada. Claro, não tinha o que responder. Eu também não tinha dito nada inteligente nem feito uma pergunta. — E por que cisnes? Tá, os cisnes nadam em lagos e este é bem bonito! Mas, por que não patos ou jacarés? Pedalinhos com outras formas seria bacana. — Jacarés? Eu tinha dito "jacarés"? E eu seguia com a verborragia de asneiras. Alguém poderia me dar um soco e me fazer calar a boca? Claro que não, eu tinha que continuar a bancar a idiota até que meu amigo me achasse a garota mais imbecil da escola, acabando com qualquer chance que eu tivesse com ele. — Jacarés são legais. — Pronto! O caixão estava fechado. Meu amor de escola oficialmente me achava uma tagarela estúpida.

— A Mariângela está chateada comigo? — perguntou ele, ignorando totalmente minhas palavras ao vento, sobre jacarés como pedalinhos. Mariângela? Ele estava comigo ali e queria saber da Mariângela... eu sempre desconfiei que ele pudesse estar gostando dela...

— Por que ela ia ficar chateada com você?

— Ela não quis andar de pedalinho comigo.

— Ah... — Então por isso ele tinha ido comigo. Falta de opção. — Sei lá — respondi.

— Ela não falou nada com você? Vocês são tão amigas...

Eu quase tive um troço de tanta decepção. Então por isso ele quis ir no pedalinho comigo! Para sondar a melhor amiga... O que ele queria era saber da Mariângela. Ai, meu coração! Como doía não ser correspondida! E ainda a chama pequena da esperança lutava para existir! Eu podia estar enganada em relação a ele e Mariângela... Mas Alberto não ajudou muito, falando de minha amiga até o fim de nosso passeio no cisne, que imaginei que pudesse ser romântico!

Voltamos para a área de jogos e salão, onde uma música tocava e parecia que todo mundo estava lá e alguma coisa estava acontecendo. Eu caminhei quieta e meio triste. Alberto andava apressado e, com o olhar, procurava. Ah, eu sabia bem quem ele procurava. Ela estava lá, no meio da confusão com música, que só poderia ser obra de nossa amada tia das artes.

A professora Lourdinha inventou uma brincadeira que era uma mistura de dança do chapéu com aula de artes, porque quem sobrava, antes de tentar colocar o chapéu de novo em alguém, tinha que fazer um desenho artístico usando a técnica que ela ensinara na última aula. Assim, não sem antes muitos murmúrios de queixa, meninos e meninas, antes tímidos e receosos em arranjar um par, começaram a dançar com seus "amigos" preferidos com a desculpa da brincadeira. Como eu e Alberto chegamos juntos e a tempo de ouvir a explicação sobre a dança, naturalmente formamos um par.

Dancei com ele! Dancei com meu amor! Encostei a cabeça no ombro dele e senti o cheiro de seu suor. Não me importei, pois aquilo me afetava num nível que eu não sabia explicar ou racionalizar na época. Mesmo depois de ter a quase certeza de que ele estava apaixonado pela minha melhor amiga, a chamazinha da esperança continuava ali. Ele era meu pelo tempo que a música durasse, ou alguém trouxesse o chapéu para trocar de par. E eu aproveitaria aqueles momentos de forma egoísta e imatura, bem de acordo com a minha pouca idade.

Notei que Mariângela nos observava. Ela estava dançando com o Mário, mas não tirava os olhos de Alberto. E, tristemente, vi que meu par fazia o mesmo. Olhava para minha amiga o tempo todo. Minha tristeza se transformou em raiva. Quis sair dali correndo. Mas, de novo, ele era *meu* enquanto a dança durasse. Outra música começou e continuamos a dançar. Era "I won´t give up"[1], do Jason Mraz.

I won't give up on us/ Even if the skies get rough/ I'm giving you all my love/ I'm still looking up (Não desistirei de nós/ Mesmo que os céus fiquem revoltos/ Estou lhe dando todo meu amor/Ainda olho para cima).

Aquele refrão pareceu, de certa forma, ter sido feito para mim... "Não desistirei de nós", nem com toda dificuldade. Queria dar meu amor a ele, olhava para os céus com esperança, mas alguma coisa me dizia que talvez não fosse para ser.

---

[1] JASON MRAZ (compositor: Jason Mraz). "I won´t give up". In: **Love Is a Four Letter Word**. Atlantic Records, 2012. CD.

Bóris interrompeu meus pensamentos, colocando o chapéu na cabeça de Alberto. Ele nem hesitou. Sorriu satisfeito e voou para onde Mariângela dançava. Pôs o chapéu em Mário, como um gesto de vitória e Alberto e Mariângela se olharam como em uma cena de filme. Ou seria tudo minha imaginação? Eu estava exagerando? Segui dançando com Bóris para não ser indelicada, sem conseguir evitar acompanhar meus amigos com o olhar. Eles estavam bem abraçados, entregues um ao outro em um universo particular onde eu não poderia jamais entrar.

Por sorte, a brincadeira não durou muito mais tempo e logo era hora de voltarmos.

Na viagem de volta, teve mais bagunça no ônibus que na ida e foi ótimo, porque me distraiu de minha decepção amorosa. Os garotos começaram a gritar lá atrás. E a professora Maria do Céu brincou, dizendo que era o Zezinho que estava tendo um filho... que estava grávido. Todo mundo riu. Depois um grupo começou a gritar VASCOOOOO! Outro grupo gritava MENGOOOOOO! Os outros times não se pronunciaram, graças a Deus, porque o barulho estava demais e eu já estava ficando surda!

Quando começamos a entrar na área da cidade, o pessoal cantou: *Cidade maravilhosa, cheia de porcarias: de dia falta água, de noite falta energia.* Uma famosa paródia para a música que homenageia o Rio de Janeiro.

Mas tudo bem, porque foi muito divertido. Felizmente também ninguém mais tocou no assunto das tribos, porque tirando a questão do Alberto com a Mariângela, eu voltei para casa muito feliz daquele passeio animado, não me incomodando nem um pouco de ser uma *sem-tribo*.

A mídia manda

Na semana seguinte, o assunto preferido das conversas na escola era o passeio. Quem *quase* ficou com quem no passeio (porque ninguém podia ficar com ninguém na frente dos professores, claro!), quem fez o quê, o que foi mais divertido e também alguns comentários maldosos sobre as barriguinhas sobrando nas roupas de banho. Sabe como é. Ditadura da magreza. Devem ter falado da minha barriguinha também. Mas fofocar e falar dos outros é um pecado difícil de não se cometer e os adolescentes adoram! Enquanto o assunto foi o passeio estava ótimo, mas odiei quando meu grupinho voltou com aquela história de *tribo*...

Puxa! Pensei que eles tinham esquecido aquele assunto! E agora voltavam com a história... *Jovem e Ação* pra cá, *Jovem e Ação* pra lá... e a minha *tribo* e a sua *tribo*... Por quanto tempo será que aquele assunto iria durar na novela? Quero dizer, eles logo inventariam outra moda, né? Porque a pressão do meu grupo para eu ter uma tribo estava começando a incomodar. Tive vontade de mentir, inventar alguma coisa. Mas eles me conheciam um pouco bem demais e não iam engolir uma história qualquer.

Enquanto isso, estava rolando na escola a história de que o Alberto teria uma festa de aniversário. Eu soube pelos comentários e cochichos. E já sabia que tinha convidado a Mariângela e as Anas Cláudia e Clara. E eu? Comecei a ficar chateada. Será que ele não iria me convidar?

Mas ainda a história das tribos estava me perturbando. Hora de apelar. Apelar para uma conversa com Dona Alva. Aproveitei que ela estava lavando a louça do jantar. Só quando estava fazendo alguma coisa com as mãos é que ela conseguia me escutar:

— Mãe, qual é a minha tribo?

— Como é, Dina? — Ela também já tinha se acostumado a me chamar de Dina.

— A minha tribo... Sabe, lá na escola todo mundo fica me perguntando isso. Tem essa coisa de tribo urbana na *Jovem e Ação* e eles entraram nessa de cabeça.

— Você está falando daquela novelinha que passa de tarde?

— É. A nova moda agora é se assumir com uma compulsão. Tenho que me identificar com uma tribo, descobrir pelo que eu sou louca, apaixonada compulsivamente.

— Que absurdo! Por causa de *Jovem e Ação*?

— Pra você ver!

— Deixa isso pra lá, Dina. Daqui a pouco inventam outra moda nessa novela. É sempre assim. Aí vão esquecer essa palhaçada.

— Foi o que eu pensei, mãe! — falei, mostrando um certo desespero. — Mas já estou nessa há duas semanas! — exagerei. — Eu preciso de uma tribo! Me ajuda aí, vai! Você que me conhece desde que eu nasci... Qual é a minha? No que eu sou boa? Do que eu realmente gosto?

Minha mãe balançou a cabeça negativamente com ar pensativo. Aquilo não era nada bom... Se ela não tivesse uma resposta para mim, ninguém mais teria. Após alguns minutos, ela respondeu:

— Ser compulsivo por algo não é bom. Você é uma menina de vários interesses.

— Como o quê? — eu já estava para lá de desesperada. — Não é só compulsão, mãe. É para mostrar que eu tenho paixão por alguma coisa, que essa paixão pode revelar uma vocação ou um interesse por algo importante.

Nem acreditei em minhas próprias palavras, já que me vi repetindo mais ou menos o que a Mariângela me disse.

Minha mãe fez cara de quem ia arrumar uma solução.

— Você fez balé quando tinha oito anos...

— Eu odiava, mãe. Chorava tanto para ir para as aulas, que você me tirou.

— É verdade. Você gostava de fazer páginas para Internet naquele curso de computadores que fez...

— Só no começo... Depois ficou chato, um monte de linguagem... Eu também desisti.

— É. Que tal karaokê? Você gosta de cantar no videokê!

— Isso não serve, mãe! E eu canto mal!

— Você gosta de escrever...

— Isso não serve pra tribo.

— Não? Tem certeza? Pode ser um interesse genuíno.

— Não é uma tribo urbana. Tribo de quem gosta de escrever? Não, acho que não...

— Não sei, filha. Do que mais você gosta?

— De tudo. E de nada.

— Aí fica difícil. Isso não está certo. Você só tem treze anos. Não pode ser obrigada a escolher uma *tribo! Tribo*! — bufou. — Coisa de índio!

— Eu sei. Mas tenho que achar uma! A Ana Clara, por exemplo... *otome*.

— Oi?

— Da tribo *otaku*.

— Otário? — E Dona Alva começou a gargalhar.

— Não, mãe! O-ta-ku! É esse povo que adora desenho japonês! Acha que eu podia ser isso?

— Japonês?

— Não, mãe! Poxa! Presta atenção! Esse pessoal que curte muito desenho japonês...

— Sei lá... Nunca vi você vendo desenho japonês.

— Eu via Digimon e Dragon Ball Z.

— Isso é desenho japonês?

— Acho que é. Ah, às vezes eu assisto ao Naruto e Pokémon!

— Só nome esquisito. — E isso vindo de alguém que se chamava Alva e deu o nome de Dinalva para a filha.

— É, bem, talvez eu pudesse ser que nem a Mariângela e o Alberto...

— O que eles são? — perguntou, parecendo mesmo muito interessada! Que legal quando ela conversava comigo assim!

— Eles gostam de ler.

— Só isso? Puxa, Dina! Isso sim era uma tribo legal para você. Sempre te disse para ler mais. Você está lendo livros? Da biblioteca? Quer que eu compre algum? — tagarelou minha mãe, um pouco mais animada do que eu queria.

— Não, mãe. Eu não estou lendo nada. Eu só leio o livro paradidático da escola para fazer as provas. E um ou outro que acho legal, lá da biblioteca. — Acho que nesse momento escutei minha mãe soltar um suspiro de decepção. — Eu pensei em, tipo assim, começar agora... — Nem eu mesma acreditei no que disse, muito menos minha mãe.

— Começar como?

— Sei lá. Pensei em começar lendo esses livros que todo mundo lê e diz que são ótimos, que todo mundo começou a ler por causa deles...

— Que livros?

— *O diário da princesa*, *Percy Jackson*...

— Ah. É. Pode ser. — Ela pareceu esperançosa.

— Diz aí, mãe. Você gostava de ler quando tinha a minha idade?

— Mais ou menos. Acho que foi nessa idade que comecei a gostar. Gostava dos livros que os professores passavam, mas comecei a ler bem mais depois que descobri uma coleção na biblioteca da minha escola. O nome era *Clube do romance de amor.* Tinha umas histórias de amor ótimas, curtas, leves e eram bem legais de ler. E as autoras eram nacionais, então as histórias se passavam em São Paulo, ou as personagens brasileiras viajavam para outros países...

Agora era minha mãe que parecia estar viajando. Tinha aquele olhar de túnel do tempo.

— Eu posso ler um desses?

Ela pareceu acordar do seu devaneio e voltou a lavar a louça mais rapidamente.

— Talvez. Mas a coleção é antiga e não se acha mais. Eu não tenho nenhum. Eu lia da biblioteca. Bem, posso te sugerir alguns que tenho aí na estante. Bem, se bem que para a sua idade...

— Deixa, mãe. Eu vou ler um desses que o pessoal lê. Então, acha que é uma boa ideia?

— Ler? Claro, ler é sempre uma boa ideia.

— Não. Quero dizer, ler como uma tribo...

— Aí, já não sei. Porque pelo que entendi, essa tribo gosta de livros em especial?

— É, romances grossos e de fantasia.

— Não sei... Você gosta? Eu, por exemplo, não gosto de fantasia. Prefiro histórias reais, ou que podiam ser reais... Ver a complexidade psicológica dos personagens... — Claro. Minha mãe era psicóloga.

— Sei lá, mãe. Acho que eu podia tentar. Mas se você tiver outra sugestão de tribo...

— Bem, no momento não consigo pensar em nada. Quem sabe depois?

— Então, acho que vou tentar ser *otaku* primeiro. Se não der certo, tento entrar no clube do livro.

— Ah, não sei não, Dina. Essa coisa de fazer as coisas só porque fala na televisão...

— Ah, mãe. Não tem jeito! Você não ficou duas horas ontem no shopping procurando uma bolsa igualzinha à da personagem da novela das nove? A mídia manda!

Peguei minha mãe direitinho. Até ela, tão experiente e inteligente e tal, não escapava. Parece que éramos todos vítimas daquela influência. Fazer o quê?

Uma festa de aniversário

Sexta-feira, na hora da saída, Alberto veio finalmente me convidar para sua festa de aniversário, que seria no domingo à tarde. Ufa! Já estava pensando que ele ia se esquecer de mim, o que me deixaria bem triste! Eu respondi prontamente que ia, se meus pais permitissem. Ficamos falando sobre o passeio e aí ele fez uma brincadeira boba com o meu broche, que era de uma abelhinha dourada. Que é? A gente tentava deixar aquele uniforme da escola mais descolado. Então valia usar um broche de vez em quando.

— Olha, olha! Uma mosca! — dizia dando petelecos no meu broche. — Ah, não! É o broche...

Fez isso umas três vezes e fiquei pensando em por que eu gostava dele. Às vezes, ele era mais bobo que o Bóris ou o Bernardo juntos! Mas ninguém manda no coração, né?

Passei o domingo numa aflição e ansiedade! Escolhi a roupa e mudei de ideia umas dez vezes! Acabei me arrumando cedo demais! Pintei as unhas, fiz uma maquiagem bem valorizada, com rímel, e enfeitei minhas orelhas com argolas enormes. Coloquei um vestido florido, tipo bata e sandálias. Deixei meus cabelos soltos, depois de lutar com eles armada de uma prancha de cabelo.

Aí, perto da hora de sair, caiu uma chuva muito forte. Foi uma tempestade daquelas! Meu pai não queria mais me levar à festa. E eu fiquei muito nervosa, porque não se tratava de qualquer festa, mas a festa do garoto por quem eu sentia alguma coisa desde o quinto ano! Era a oportunidade perfeita para ficar perto dele, mostrar que me importava com o aniversário dele, sei lá... Eu só sei que eu tinha que estar lá. Uma porção de garotas também gostava dele e eu não podia deixar terreno para elas. Infelizmente, eu sabia que minha mais querida amiga, Mariângela, era uma delas.

Perturbei meu pai, choraminguei, insisti. Disse uma dezena de vezes que eu precisava ir! Ele concordou, mas tínhamos que esperar a chuva passar ou diminuir. Cheguei lá duas horas depois do horário. Mas talvez por causa da chuva, a festa que era dentro da casa dele, sem nenhum espaço que não fosse o dos cômodos, estava vazia. Ele pareceu feliz em me ver. Não tinha ninguém da escola lá. Sentei-me no sofá junto com dois de seus primos que jogavam videogame.

A mãe dele me cumprimentou e convidou meu pai para ficar no outro cômodo com os adultos. Fiquei super decepcionada quando ele aceitou! Era para meu pai ter dito que já ia, que voltaria só para me buscar mais tarde, não para ter ficado! Mas ele pareceu feliz com a oferta, acho que não queria ficar de motorista para lá e para cá debaixo de chuva. Mas aquilo dificultava muito as coisas... Como eu ia dar em cima do Alberto com meu pai por perto? Daí, pensei:

"Dar em cima? Eu? Até parece! Tentava dar mole para ele desde o quinto ano, mas ou ele era tapado e não percebia ou eu não sabia como fazer aquilo direito..." Nunca teria coragem de ser direta e dizer a ele o que sentia, até porque eu não tinha tanta certeza do que era exatamente além de um gostar...

A campainha tocou e eram os gêmeos. Ótimo! Só tinha eu de menina naquela festa? E festa? Que festa? Eles só ficavam jogando videogame! Ainda pediram para tirar a música que tocava porque estava atrapalhando o jogo! Além de mim, do sexo feminino, só havia três pirralhas, que eram primas do Alberto. E elas pareciam também só estar a fim de jogar videogame! Eu podia não saber qual era a minha tribo, mas com certeza não era a dos *gamers*! Eu simplesmente odiava videogame!

Depois de um tempo espremida no sofá entre os jogadores, levantei-me para pegar um copo de refrigerante que o Alberto tinha trazido para mim da cozinha e, finalmente, pude lhe dar um abraço e beijo pelo seu aniversário e lhe entregar o presente. Era um livro, claro. Perguntei a Mariângela e ela me ajudou a escolher, porque eles sempre conversavam sobre livros e ela sabia todos os livros que ele tinha e os que não tinha, e também quais ele cobiçava. Ele adorou e me agradeceu com outro abraço. Ah! Como eu me desmanchava quando ele me abraçava ou me beijava no rosto. Será que ele não percebia? Minha respiração ficava acelerada, meu coração batia mais rápido e eu me sentia quente e corada. Queria muito que ele percebesse, mas ao mesmo tempo, fazia de tudo para ele não perceber. Dá para entender?

— Puxa, legal, Dina! Eu estava louco para ler este livro! Estava na minha lista dos mais desejados! Valeu mesmo —

agradeceu, enquanto olhava com veneração para aquele livro grosso, de capa colorida. Chegou mesmo a passar a mão por cima da capa mais de uma vez, como se acariciasse o livro, ou sei lá, como algum objeto de adoração. — Como você sabia?

— Foi puro instinto. Eu olhei para esse livro e pensei: o Alberto vai gostar... — menti para levar os créditos por escolher bem o livro. Foi infantil e egoísta de minha parte, eu sei, mas não me senti naquele momento tão madura a ponto de dividir as glórias com Mariângela por ter me indicado o livro. Mas, ah, vai! É querer demais de uma menina de treze anos apaixonada, né?

Ele folheou o livro por um longo tempo e eu comecei a ver a possibilidade de uma longa conversa com ele se esvaindo. Como medida desesperada, abri a boca e comecei a falar só para manter um diálogo:

— Parece muito bom.

— É. — Ele ainda estava admirando seu presente, lendo as orelhas.

— Depois, quem sabe você me empresta.

— Claro, claro. Mas depois da Mariângela, tá? Nós temos um pacto, sabe?

— Pacto? — Eu estava desolada. Como eu podia competir com algo assim? Um pacto?

— É — ele começou a me explicar, todo animado. Parecia que só de falar em minha amiga, ele já se sentia mais vivo. — Todo livro que compramos ou ganhamos, depois que lemos, a primeira pessoa pra quem emprestamos tem que ser, você sabe... eu e ela. Um pro outro. Lemos tudo o que o outro lê!

Nossa! Eu acharia isso muito fofo, se o fato não destruísse todas as minhas esperanças de ele gostar de mim. Era uma sincronia tão perfeita que havia entre eles, que minha vontade às vezes era gritar e mandar que eles se declarassem logo um pro outro! Mas tudo bem, se pelo menos falar de Mariângela o mantivesse perto de mim... Paixão é uma coisa estranha, né? Mesmo sofrendo, a gente não quer largar!

Então, ele frustrou minhas expectativas de ficar conversando só comigo e foi jogar videogame de novo com os outros meninos. Fiquei em pé em um canto, bebendo refrigerante e comendo os salgadinhos que a Dona Valquíria, mãe dele, trazia de tempos em tempos. Eu estava entediada. E para me fazer me sentir ainda pior, eu ouvia gargalhadas sonoras vindo do quarto onde os adultos se reuniam. Fui até lá dar uma espiada. Meu pai, meu digníssimo pai, estava fazendo muito sucesso contando piadas! Ele estava cercado por todos os adultos: tios e pais do Alberto e todos pareciam se divertir muito! E, pasmem! Eram as mesmas piadas que ele sempre contava! Aquelas mesmas em que eu não achava mais nenhuma graça!

Voltei para sala na esperança de que os meninos e meninas largassem aquele jogo e fizessem aquilo se parecer com uma festa!

Quando Alberto me viu, largou o jogo e meu coração deu um pulo de esperança. Ele me pediu que eu o acompanhasse até seu quarto! Tum, tum, tum, tum. Ai, coração! No quarto dele? Ai, eu estava com medo e ao mesmo tempo eufórica.

Quando chegamos ao seu quarto, eu tremia. Estranhamente, não vi nada do que eu esperava. Achei que ele teria um quarto que seria "a cara dele", que teria um toque ou decoração tão especial que seria óbvio identificar o dono. Mas não havia nada de especial. Era um quarto como outro qualquer.

— Vamos ligar daqui — disse pegando seu celular e sentando-se sobre a cama, contrariando todas as minhas expectativas. — Está muito barulho lá na sala — explicou. — Eu já liguei três vezes, mandei um milhão de mensagens, mas a Mariângela está um saco hoje. Disse que só viria se tivesse mais alguma menina da escola aqui. Que se fossem só os meus primos e primas, não vinha... Porque a mãe dela não gosta que venha aqui sem meninas. Antiquado, né? Mas agora que você está aqui... Vou falar com ela e passo o telefone para você. Aí, ela vendo que você está aqui, quem sabe vem?

Ele discava enquanto falava. Tentou umas três vezes antes de conseguir que ela atendesse. Falei com ela. Mas ela não viria mesmo. A mãe não deixou. Parece que a mãe suspeitava de algo entre os dois e não queria que Mariângela fosse a casa dele. Nada que não envolvesse escola. Alberto ficou triste e frustrado. Ficou um bocado aborrecido, porque ele era tão calmo normalmente, mas o vi bater com a mão fechada na parede em um gesto de raiva. Depois ele pediu desculpas e me chamou para voltar para a sala.

É, ele só tinha me chamado ao seu quarto para ligar para Mariângela e tentar convencê-la a ir à sua festa. Se eu ainda tinha alguma dúvida, naquele momento não tinha mais: ele gostava era da Mariângela. De verdade. Muito mesmo. Eu pude ver na expressão dele o quanto a falta dela ali o estava machucando. Fiquei triste por ele e por ela. E por mim. Porque eu era uma idiota, gostando de quem não gostava de mim. Ele nunca ia sentir por mim o que sentia por ela.

Voltamos para a sala e a festa estava parecendo um pouco mais uma festa. As primas de Alberto tinham determinado o fim do jogo e colocavam músicas e dançavam as dancinhas da moda. Mas não importava mais, sei que se colocassem uma música lenta, ele não dançaria comigo. E se dançasse, estaria pensando nela. Só Bernardo parecia a fim de se chegar e parecia pensar em dançar comigo. Coitado do Bernardo! Ele era para mim o que eu era para o Alberto. Será que o Alberto sabia? Que sentia pena de mim, assim como eu sentia pena do Bernardo?

Para completar, Bernardo resolveu puxar assunto comigo, o pior possível para mim:

— E aí? Já descobriu a sua tribo?

— Não. Mas tive umas ideias...

— É? Tipo o quê?

— Eu sou uma menina de muitos interesses — refiz a frase de minha mãe. — Por isso é difícil dizer que tenho uma tribo só. Gosto de tantas coisas... — eu estava enrolando. Eu estava super enrolando. Ainda não tinha ideia do que responder e ia embromando para ter tempo de pensar.

Foi nessa hora que a mãe do Alberto chamou todos para cantarem parabéns. Eu fiquei tão aliviada! Já estava quase pedindo licença ao Bernardo para ir ao banheiro, só para não ter que continuar aquela conversa.

Cantamos parabéns, Alberto soprou suas velinhas de quatorze anos e serviram o bolo. Meu pai finalmente veio para a sala e vi que ele havia se divertido bem mais que eu. Ele percebeu meu ânimo e, quando voltávamos para casa, perguntou:

— Que foi, filha?

— Nada, pai. A festa foi chata. E eu não tenho uma tribo.

Dor de cotovelo

Passei a semana seguinte meio para baixo, chateada e inquieta. Por quê? Bem, eu tinha dois motivos: a falta de uma tribo (meus amigos continuavam insistindo que eu precisava de uma) e a dor de cotovelo.

Bem, dor de cotovelo é uma expressão antiga para desilusão amorosa. Ela foi popularizada pelo compositor brasileiro Lupcínio Rodrigues, que fazia músicas melancólicas sobre amores perdidos. Ele se referia principalmente às pessoas que ficam nos bares bebendo e sofrendo por terem sido largadas ou rejeitadas, com os cotovelos apoiados no balcão, daí a "dor de cotovelo".

Como eu sabia disso? Simples, foi um trabalho de escola no sétimo ano. Era sobre MPB e o tal do Lupicínio Rodrigues, que adorava compor o que hoje chamamos de música de corno, ou sofrência. Lembro que o pessoal do meu grupo reclamou à beça, porque ninguém nunca tinha ouvido falar no cara e outros grupos pegaram outros compositores, menos desconhecidos para a nossa geração. No fim das contas, após a pesquisa, descobrimos que conhecíamos algumas músicas dele! Incrível! Eu então? Meu avô cantarolava direto a canção "Felicidade"!

"Felicidade foi-se embora/ e a saudade no meu peito/ Ainda mora e é por isso que eu gosto/ lá de fora, porque sei que a falsidade/ não vigora (...)"[2]

Bem, "dor de cotovelo" é certamente uma expressão mais bonitinha que "dor de corno", então fico com ela e saúdo o caro Lupicínio. A quase certeza de que Alberto era apaixonado por Mariângela me deixou com uma sensação pesada e um emburramento terrível. Tá, eu já sabia que ela gostava dele e que ele "parecia" gostar dela... Porém, os últimos acontecimentos no passeio e na festa de aniversário dele me levaram a uma conclusão que eu não queria... Claro que nunca pus meu time em campo, estava lá na arquibancada, esperando um lugar na reserva. Ui! Será que me fiz entender? Não entendo muito de futebol, então posso ter dado mancada ao tentar uma metáfora futebolística.

Para piorar meus ânimos, Mariângela decidiu se abrir comigo! Logo na segunda-feira, na hora do recreio.

— Dina, como foi a festa do Alberto? Você foi, né?

— Bem, pra falar a verdade, foi meio chata. Os meninos só ficaram jogando videogame.

— Ele perguntou de mim? — ela queria saber.

— Quem? — me fiz de desentendida.

---

[2] LUPCÍNIO RODRIGUES (compositor: Lupicínio Rodrigues). "Felicidade". Gravadora Star, 1952.

— O Alberto, né? Ele perguntou de mim? — O tempo todo. Mas eu não queria dizer isso para ela. Eu a faria feliz, mas eu não consegui deixar de ser egoísta e mesquinha.

— Acho que sim, uma vez. A gente ligou pra você, lembra?

— É. Mas minha mãe não me deixou ir — falou com a cabeça baixa, um fiapo de voz e até senti pena dela. — Ela cismou que a gente tá namorando escondido e está pegando no meu pé.

— Por quê? — Eu realmente estava curiosa e um pouco solidária com ela.

— Você sabe, lembra que a minha mãe disse que eu só ia poder namorar com quinze anos? Ela e meu pai acham que sou muito nova pra isso.

— Ah, é. Mas, vocês... estão... namorando mesmo? — perguntei com o coração na mão.

— Claro que não! Minha mãe me mata!

— Mas você... queria?

Ela deu um risinho tímido e ajeitou os cabelos. Mariângela era bonita, com seus cabelos de um castanho quase loiro, naturalmente ondulados, mas sem o volume horrível que o meu tinha. Sempre invejei os cabelos dela. Tudo que ela precisava fazer era cortar uma vez por ano para aparar as pontas e deixar no corte. Era horrível invejar sua melhor amiga, mas a inveja que eu tinha do cabelo dela nem se comparava à que eu sentia por ela ser o objeto de afeição do meu *crush.*

Ela mordeu os lábios e fez uma cara de super apaixonada, refletindo sobre a minha pergunta. Eu me enterrei em mim mesma para não dar pistas de que eu também era apaixonada por ele.

— Eu não sei. Às vezes, acho que meus pais estão certos. Sou muito nova... Mas quando estou com ele... Sei lá! Eu gosto dele, sabe? Ai, que vergonha! — disse corando. — Seus pais colocaram uma idade mínima para você namorar, Dina?

— Eu? — Fui pega de surpresa. Apesar de já ter aquele tipo de sentimento por um garoto, na verdade, por aquele garoto exclusivamente, nunca havia pensado realmente em namorar. Aquele assunto jamais tinha sido mencionado na minha casa. Acho que meus pais simplesmente achavam que eu ainda era um bebê, sei lá. — Nós nunca falamos a respeito disso. Acho que não, sei lá.

— O que você acha disso? Uma idade para começar a namorar?

— Puxa, Mariângela... Eu realmente nunca tinha parado para pensar nisso. Mas acho que a idade tem que ser quando surge a vontade. Tem menina que é mais madura, outras são muito crianças. Não vê a Ludmila da outra turma? Ela ainda brinca de bonecas. Acho que depende.

— Eu não ia ligar, se não fosse o Alberto... Eu não ia querer só ficar, sabe? Se fosse só para curtir, esperava os quinze na boa. Mas quando a gente gosta... Mas e se ele não me esperar mais dois anos?

— Então, Mariângela, você gosta mesmo do Alberto? De verdade?

— Não fala pra ninguém, Dina, por favor! Muito menos pra ele! Eu morro de vergonha! Mas sou maluquinha por ele!

— E ele?

— Ah! — ela suspirou longamente. — Às vezes, acho que sim, outras que não. Eu não sei. Tem horas que tenho quase certeza que ele gosta de mim do mesmo jeito! Tipo quando ele me ligou insistindo para eu ir pra festa! Mas tem momentos que... — Respirou fundo e suspirou novamente. — Se ele gosta de mim, por que ele não fala nada? A gente está sempre junto, teve muita chance pra ele dizer.

— Por que você não se declara? — sondei.

— Tá maluca? Não! De jeito nenhum! Eu tenho medo! E se ele não gostar de mim? Aí a nossa amizade acaba. Eu vou ficar humilhada e não vou aguentar que ele tenha pena de mim! Prefiro manter a amizade. Não ia suportar ficar longe dele! E também, ele é menino! Ele é quem tem que falar alguma coisa!

— Tempos modernos, Mariângela! As meninas também podem tomar a iniciativa!

— Modernos nada! Já ouvi muita conversa de menino falando das meninas e sei que eles ainda preferem as mais recatadas e as que esperam eles falarem com elas!

— Sério? Tem certeza? Não dá pra entender essa sociedade... Falam uma coisa e fazem outra!

— E de que ia adiantar eu falar com ele se não posso namorar?

— E se ele falasse com você? Ia dizer que só com quinze anos?

Ela sorriu charmosa. Tinha o olhar distante e sonhador e eu podia perceber que ela estava imaginando a cena, romanceando o momento imaginário. Eu engoli em seco, pois também já tinha fantasiado com a declaração de amor de Alberto. Só que era para mim.

— Aí, Dina, minha mãe e meu pai iam ter que me perdoar, mas eu namorava até escondida! Se ele também gostar de mim, nada vai poder me separar dele!

Ai! Que lindo! Nossa! Era fofo demais! Quem era eu para atrapalhar? Se ele realmente gostasse dela, eu teria que me recolher à minha insignificância e me resignar a esperar por um novo amor. Dor de cotovelo, lá ia eu!

Eu fiquei num clima tão "deprê", que até o assunto de arranjar uma tribo me animou mais. Então quando Ana Clara veio me convidar para um evento de *otakus*, aceitei prontamente. Por que não? Parecia divertido! Eu precisava de uma tribo e aquela se mostrava promissora. Quem sabe houvesse muitos gatinhos *otakus* interessantes para me fazer esquecer o Alberto? Decidi me concentrar só naquilo e esquecer o drama amoroso! Bola pra frente! Ai, eu com metáfora de futebol de novo...

A tribo Otaku

Ela é Otaku (Os Seminovos)[3]
"Se resolvo usar uma bandana
Ela não encana, nem acha gay
Ela apoia e acha até bacana
No fim de semana eu ser cosplay
Ela joga no meu time
Passa a noite ao meu lado
Baixando e vendo anime
Em japonês legendado
Ela é otaku"
(...)

Dei uma última conferida no meu visual no espelho, antes de sair de casa. Tinha optado por uma camiseta preta e calça

---

[3] OS SEMINOVOS "Ela é otaku". In **Quem Tá Feliz Dá um Grito Aí,** Gravadora Os Seminovos. 2015. Spotify.

jeans. Ana Clara havia me dito que nesses eventos quem não ia de fantasia, *cosplay*, como ela disse, costumava usar preto. É que a tribo *otaku* reúne pessoas de outras tribos, como *emos*, *roqueiros* e *góticos*, além dos *nerds*. E agora também tinha abraçado um novo grupo: os *K-poppers*, adeptos do K-pop, que é um gênero musical originado na Coreia do Sul. E ainda havia os amantes de *doramas,* dramas televisivos japoneses, agora também produzidos por outras culturas orientais.

Reavaliei minha aparência no espelho uma última vez e achei que estava satisfatória. Afinal, preto sempre cai bem e me fazia parecer magra. Soltei os cabelos, passei batom e rímel. Calcei um par de botas pretas também. Isso. Estava pronta para me misturar à tal galera fã de *anime*! Pronto! Ia me juntar à Ana Clara e virar *otaku,* participando do *Anime Brother Club*, um evento que reunia aficionados por *animes*, *Star wars* entre outras ficções. Decidi tentar isso primeiro, já que assistir a alguns desenhos me pareceu mais fácil que ler livros com quinhentas páginas.

O pai da Ana Clara nos levou de carro e também iria nos buscar. O evento era em um clube. Senti-me estranhamente animada e ansiosa, não como uma *otaku* pelo seu evento, mas como uma espiã ou policial disfarçada, pois tinha a impressão de estar entrando em um mundo que não era meu, invadindo mesmo, como se fosse uma farsante ou algo assim.

Alguns dias antes eu baixei uns *animes* no computador, todos indicados por Ana Clara. Mas não consegui assistir a mais que um episódio de cada um e, sinceramente, eram *legaizinhos*, mas supus que para me tornar fã, eu devia achá-los bem mais que *legaizinhos*. E também só consegui ver dublado. Original em japonês legendado? Quem é que conseguia? Quando é em inglês a gente ainda entende um *yes, thank you, oh my God,* mas em japonês? Não deu. Mesmo assim, decidi que queria logo ter uma tribo e quando Ana Clara me convidou para o evento, eu disse aquele *sim esperançoso*! Ela sempre convidou, mas ninguém mais da turminha se interessava por aqueles eventos.

Entrei no local quase que agarrada à Ana Clara, como uma criança se agarra à mãe no seu primeiro dia de aula no jardim da infância. Senti-me estranha, como em uma realidade alternativa. Havia muitas pessoas *normais* e de várias idades! Alguns até velhos. Mas havia muitos tipos estranhos, com cabelos coloridos de rosa, amarelo, verde, vermelho vivo, roxo e até branco! Mas branco mesmo, em gente nova! Não consegui ver o que era pintado e o que era peruca... E as fantasias? Comecei a me empolgar e me divertir, porque era muito legal ver aquela gente fantasiada de coisas que eu não reconhecia, provavelmente porque não conhecia as personagens. Mas me entusiasmei ao ver um *Darth Vader* perfeito, acompanhado por soldados do império iguaizinhos aos originais! Todo mundo conhece *Star Wars!*

Mas ainda sem reconhecer a maioria das outras fantasias ali, era muito legal de ver! E era engraçado ouvir os gritinhos de prazer de Ana Clara ao reconhecê-los.

Rodamos por barracas que vendiam camisetas, cordões, DVDs, bonequinhos, chaveiros, tudo sobre os *animes*. Ana Clara gastou muito dinheiro com esses bagulhinhos, principalmente com bótons e correntes.

Assistimos a uma palestra com um dublador de um dos personagens de *Cavaleiros do Zodíaco*. Apesar de eu achar dublagem uma coisa interessantíssima, não fazia a menor ideia do que ele estava falando, já que nunca assistira ao desenho. E como Ana Clara assistiu àquilo? Era tão velho! Quis argumentar com ela, mas parecia que eu tinha cometido um pecado, porque *Cavaleiros do Zodíaco* ali tinha o status de clássico.

Quando saímos da palestra, Ana Clara encontrou um grupinho de amigos que ela conhecia de outros eventos: duas meninas e um rapaz. O rapaz estava vestindo uma fantasia de *Shiryu* dos *Cavaleiros do Zodíaco*, pela qual foi elogiado. Um *cosplay*, que me disseram que era de *Misa Misa* de *Death Note*, caía muito bem em uma das meninas e a outra vestia uma camiseta preta com caras de desenho japonês, onde estava escrito: *Full Metal Alchemist*.

Ana Clara nos apresentou e trocamos beijinhos em meio a palavras em japonês com que eles se saudaram. E aí veio a pergunta, justo do garoto esquisitão:

— E aí, Dina? Qual o seu *anime* preferido?

Oops! E agora? Só tinha acompanhado dois e nem gostava tanto assim.

— *Pokémon* – arrisquei.

Aí foi tenso. Eles se entreolharam como se eu tivesse dito algo errado. Será que *Pokémon* não tinha prestígio entre eles?

— Legal — ele comentou. E eu devo ter soltado um suspiro de alívio.

Então, o grupinho se envolveu em uma conversa só deles sobre os *cosplays* e a banda que ia tocar no final do evento, citando os nomes das músicas em japonês e falando sobre seus animes favoritos. No meio da conversa, escutei uma palavra ou expressão que repetiam muito entre risadas: *baka*.

Depois de mentalmente analisar os prós e os contras em demonstrar minha ignorância em relação a termos em japonês, acabei não resistindo e minha curiosidade venceu:

— O que é *baka*?

Todos pararam e o silêncio do grupo me deu a certeza de que eu devia ter ficado de boca fechada.

— Idiota — o Shiryu falou bem alto.

Ah, não. Aquilo já era demais. Eu não ia ficar ali e ser chamada de idiota. Ana Clara ia me pagar por aquilo.

— *Peraí!* Também não precisa ofender, né? — E então o grupo explodiu em sonoras gargalhadas.

— A palavra *baka* significa idiota, Dina.

— Ah — soltei um suspiro de entendimento. — Ah... — Suspirei de novo ao constatar que tinha acabado de agir como uma perfeita *baka.*

— Tudo bem. A gente já sacou que você não é *otaku* – concluiu a Misa-Misa, com um sorriso amigável e um tapinha nas minhas costas. — Mesmo assim, seja bem-vinda! Vai se divertir muito aqui se parar de se preocupar.

É. Ela estava certa. Parei de me preocupar. Sorri e embarquei com eles naquele universo mágico de faz-de-conta, apenas para me divertir. Não era *otaku* mesmo, mas e daí? Aquela, com certeza, não era minha tribo, mas mesmo assim me diverti. Foi muito legal ver todas aquelas pessoas fantasiadas com capricho. E as apresentações que fizeram? Eram performances maravilhosas! Cada um fez uma apresentação séria, como se fosse uma cena do anime ou filme — o que chamam de *cosplay*. Depois fizeram uma cena avacalhada, debochando dos próprios personagens, como um Darth Vader e seus soldados dançando *cancã* ao som de Y-M-C-A, do Village People. Muito legal! Super! E era um concurso. Eles elegiam o melhor *cosplay* considerando a perfeição da fantasia e da performance, além da originalidade na cena de sátira.

Houve muitas outras atrações e atividades, como *Luta de cotonete* — a gente segura um cotonete gigante e luta usando como se fosse um bastão —, apresentação de artes marciais, uma encenação de uma luta de *Mortal Kombat*, área de *games*, Paintball, sorteio de brindes, oficina de Mangá, entre outras.

A banda foi a última atração. Apesar de não entender nada do que eles cantavam — em japonês —, dancei e pulei com Ana Clara e seus amigos, que ainda estavam comemorando o segundo lugar da Misa-Misa no concurso de *cosplay*. Eles cantavam junto com a banda as músicas tema de abertura de animes. Em japonês! Que gente doida! Mas, aí, eles sabiam se divertir de forma saudável!

Comprei uma camiseta do Pokémon e saí de lá muito feliz e disposta a aceitar todos os convites de Ana Clara daquele dia em diante. Mas ainda sem uma tribo. Adorei aquele universo, só que nele eu sempre seria uma visitante, ainda me faltava a tal sensação de pertencimento que caracterizava fazer parte de uma tribo.

A tribo do livro

Bem, vocês sabem. Como é que se chama alguém viciado em ler livros, especialmente narrativas longas? É, narrativas longas, narrativa — quando conta uma história com personagens e tal, o que a gente chama de romance. Tá. É, eu também achava que romance era história de amor. Mas a professora de Português já tinha explicado aquilo: romance é uma história longa, ou narrativa longa, com bem mais que cem páginas. Quando é um pouco menor é novela (e não é de televisão, estamos falando de livro, lembra?) e quando é ainda menor, chama-se conto. Poema já é diferente, porque está classificado em outro gênero: o da poesia.

Pois então. Mariângela, minha melhor amiga, e Alberto, o menino de quem eu gostava desde que comecei a pensar em meninos de uma forma menos infantil, eram dessa tribo. Era um fenômeno meio que recente no Brasil, já que o brasileiro, por ter pouco grau de instrução e educação deficiente, ainda não cultivava o hábito da leitura regular em sua maioria. Mas existia um grupo de jovens e adolescentes que estava mudando um pouco isso.

Tudo começou com a geração que começou a ler com *Harry Potter,* e depois veio a onda *Crepúsculo*. Por mais que algumas pessoas critiquem esses livros, é fato que contribuíram para muitos jovens começarem a gostar de ler. Depois deles, outros vieram, de modo que sempre há algum *best-seller* em voga, criando as modinhas literárias.

E ainda, diferentemente dos leitores de antigamente, que liam mais de empréstimos de bibliotecas, esses novos leitores sentiam prazer em comprar os livros também e os tratavam como peças de colecionador.

Eu, infelizmente, ainda não tinha conseguido ser daquele time. Não me entendam mal, eu *gostava* de ler. Mas não sempre. Eu sempre lia os livros que a professora passava para a prova e até gostava bastante. Mas meio que precisava ser obrigada a ler, sabe? Tinha muita preguiça... Quando olhava para um livro e o achava grosso, me batia uma preguiça danada! E o que eu pensava em seguida é se eu iria ler aquilo tudo e acabar não gostando do final. Ler é a última coisa em que pensava quando estava em casa. Lógico. Com tanta coisa legal para fazer como: Internet, televisão, filmes para ver...

Mariângela tentou me emprestar o *Crepúsculo,* que, para ela, seria considerado um clássico algum dia, mas minha mãe disse que história de vampiro era muito *pesado* para minha idade. Eu tinha a coleção do *Harry Potter* e li o primeiro, mas era uma história de fantasia...

Ao contrário dos meus colegas, acho que puxei à minha mãe e preferia livros mais reais e nacionais. Achava e ainda acho legal essa coisa de a personagem morar em lugares que conhecemos, ou pelo menos, que sabemos que é no Brasil e usarem a nossa linguagem de uma forma mais natural. Faz parecer que podemos também viver aquilo, que as histórias podem acontecer com a gente. Então, uma história em uma escola brasileira, com a nossa realidade, parecia para mim mais interessante que uma passada em uma escola americana, com aquela divisão ridícula de *nerds*, populares e patricinhas. Aqui todo mundo se mistura de uma forma ou outra, mas se não, pelo menos respeitamos os limites dos outros. Brasileiro é tudo ferrado mesmo, estamos no mesmo barco! Temos *bullying*? Claro, mas não da forma cruel, cultural e sistemática como eles têm, salvo casos raríssimos. Até a palavra *bullying* é estrangeira e só começamos a ouvir isso de uns tempos para cá, segundo minha mãe. O que sempre tivemos muito é *zoação*.

Então, meus livros favoritos eram os da série *Os Karas*, de Pedro Bandeira, que começa com *A droga da obediência*. Gostei muito também de *Um girassol na janela*, de Ganymédes José e *Tumbu*, de Marconi Leal. Todos passados como leitura obrigatória na escola para fazer prova. Mas, e daí? Os fins, às vezes, justificam os meios. Algumas pessoas dizem que não deviam nos obrigar a ler livros na escola, que devíamos ler o que tivéssemos vontade. Eu não concordo, pois eu nunca teria lido um livro sequer se não fosse pela obrigação da escola. Para se tornar um hábito, às vezes, precisamos de um pouco de disciplina.

Mas tudo bem. Queria uma tribo. Então aí estava minha motivação e obrigação. Peguei alguns livros com Mariângela e Alberto para ver se gostava de algum. As capas eram lindas e o cheirinho de livro seminovo, tentador, mas o número de páginas me assustava. Tentei ler a série *Harry Potter*, juro que tentei! Li o primeiro, como disse antes, e achei a história muito de fantasia... Mas, além disso, eu já tinha visto todos os filmes e meio que ler aquilo era só uma retrospectiva...

Aí tentei os livros de vampiro, apesar dos protestos da minha mãe. Ah, é, a Mariângela já lia aquelas coisas. Mas, fala sério! Era tudo a mesma coisa! E aquele lance de vampiro bonzinho atormentado e apaixonado pela mocinha já estava ficando meio repetitivo. Mas vá lá, li uns dois desses. A leitura era fácil e a história de amor prendia. Talvez eu tivesse uma veia romântica, afinal! E parece que havia livros nacionais também seguindo a mesma linha...

No entanto, minha leitura era lenta. Sabe, não conseguia devorar livros como Alberto e Mariângela. Eu fazia outras coisas, né? Gostava de ler um pouquinho a cada dia, ou um pouquinho a cada semana. Era uma atividade como qualquer outra, não uma obsessão.

Que outras coisas eu fazia? Ora, além de estudar e fazer dever de casa e trabalhos? Internet, Facebook, pular corda com as minhas amigas do condomínio, assistir a pelo menos uma novela, duas séries, ver uns desenhos ou programas de tevê, pintar as unhas, conversar com a minha mãe e chatear o meu pai (de bricadeira, claro) e sair com meus amigos. Ah, essa parte ficou difícil, porque depois que meus amigos inventaram aquela história de tribo, a gente estava se afastando cada vez mais. Cada um na sua tribo. Como se todo mundo precisasse ser igual e gostar das mesmas coisas para ser amigo! Poxa! Não era assim! O Bernardo, por exemplo, vivia com aquela coisa de *skate* e eu não entendia metade do que ele falava, mas adorava ele! E o Bóris? E a Ana Cláudia? E a maluquinha da Ana Clara com aquelas coisas de japonês?

Bem, depois dos livros vampirescos, disse a meus amigos traças de livros que ia achar meu próprio estilo de livro. E assim fiz. Eu meio que já sabia que gostava de nacionais. Peguei alguns na biblioteca da escola de que gostei bem mais e achei mais apropriados para a nossa idade. Encantei-me com um escritor chamado Júlio Emílio Braz, com seus livros curtos, mas de histórias densas e emocionantes que nos faziam pensar. Eram dramas muito reais e que tinham tudo a ver com a nossa realidade. Chorei com *Crianças na escuridão* e me emocionei com *Aprendendo a viver*, e me mantive interessada em tantos outros que encontrei dele, de leitura fácil e rápida.

Confesso que passei a gostar um pouquinho mais de ler, mas ainda era uma leitora moderada.

Alberto e Mariângela me fizeram entrar em promoções de blogues muito cansativas, porque eu tinha que curtir e seguir, comentar uma porção de coisas. No final, eu nem sabia mais ao que eu estava concorrendo exatamente, porque nem sempre eram livros. Às vezes, eram lembrancinhas dos livros: canecas, bótons, adesivos, marcadores etc.

Um dia, fui com eles a uma livraria de shopping em que havia um evento promovido por alguns blogues. A sensação foi parecida com a que senti no evento de *anime*: de peixe fora d´água. Havia cinco autores lá, ilustres desconhecidos para mim, bem como seus livros, dos quais eu nunca tinha ouvido falar. Cada um falou um pouco sobre sua obra e tiraram muitas fotos. O dinheiro que levei só dava para comprar um livro, então escolhi o da capa mais bonita, porque só pelo que os autores falaram, não consegui me decidir. O mais legal do evento foram os sorteios de livros e brindes. Foi emocionante concorrer e, no geral, senti-me, tipo assim, muito inteligente, intelectual, por estar em um evento daqueles.

Saímos de lá bem animados e fomos a um *fast-food* lanchar. Muito mais tarde, quando eu e Mariângela fomos ao banheiro, ela segurou meus ombros e segredou bem baixinho:

— Dina, eu gosto tanto dele! O que é que eu faço?

— Dele? — Claro que eu sabia de quem ela estava falando. Mas meu egoísmo não queria facilitar nada para minha rival.

— Do Alberto! Não se lembra da nossa conversa? E acho que você já sabia antes de eu te contar. Eu via pelo jeito que você olhava pra gente, que você sabia.

— É, eu meio que suspeitava. E aí você confirmou...

Tudo bem. Até o dia em que ela me contou eu achava que podia ser, mas me iludia sonhando que não fosse, que fosse minha imaginação... Não tinha mais jeito. Precisava aceitar o fato, porque era *fato* que minha melhor amiga gostava do mesmo garoto que eu. E pior: a quase certeza de que ele também gostava era *dela*! Pensar naquilo era horrível! E eu tinha quase esquecido! Eu não queria voltar ao estado de "dor de cotovelo". *Oh, my God! Please! No!*

Senti meu peito apertado. Deve ser por isso que falam em coração partido, porque eu realmente senti uma dor dentro do peito, juro. Puxa! Eu também gostava MUUUITO dele! Respirei fundo. Eu precisava dizer alguma coisa.

— É. Acho que ele também gosta de você — exprimi minha suspeita e quase certeza, a que me deixaria ainda mais arrasada se eu também confirmasse ser verdade. E depois daquele dia na festa... Como eu ainda queria me enganar!

— Sério? Você acha? — Ela me olhava com seus olhos maiores que o de costume. Ansiosa. Esperançosa.

— Acho. — Fui sincera. O pior é que eu achava mesmo. Mesmo sendo muito doloroso.

Eu sei, eu sei. Sei o que vocês devem estar pensando: por que eu não lutava por ele? Por que não dizia a ele como eu me sentia? Muito simples. Eu tinha uma série de motivos para ficar na minha: timidez, medo de ser rejeitada, medo de perder a amizade dele e da Mariângela, desconfiança e quase certeza de que ele não me corresponderia, que se sentia assim com relação à minha amiga e não a mim.

Mas o motivo mais forte estava bem dentro de mim: eu sabia que o que eu sentia por ele ia passar. Sabia que era uma fase. Do mesmo jeito que tinha tido uma paixonite de infância por um antigo vizinho, tão criança quanto eu. Aquela agora era minha paixão de adolescente e ia passar do mesmo jeito. Não me pergunte como eu podia saber disso naquela idade. Eu simplesmente sabia. Sabia que apesar de sentir um calor perto dele, sentir ansiedade e peito apertado, aquilo não era amor. Ele não era o amor da minha vida! O que não me impedia de querer muito namorá-lo, ficar fantasiando com seus beijos... Puxa! Eu estava na idade, né?

— Então, o que eu faço?

— Fala com ele — propus, firme, algo que eu mesma jamais faria.

— Não tenho coragem. E se você estiver errada e ele não gostar de mim?

— Ele te adora!

— Como amiga!

— Se nenhum de vocês falar, vão ficar nessa até o Ensino Médio.

— Você podia me ajudar. — Opa! Ajudar? Como?

— Você podia falar com ele.

Sem chance! Ela queria que EU falasse com ele? Quando eu não conseguia falar nem para mim mesma? Bem, talvez falar sobre outra pessoa fosse mais fácil... Mesmo assim... Que roubada!

— Não, não posso. Claro que não!

— Por favoooor...!

— Mariângela, não faz isso comigo! Você é que tem que falar com ele!

— Eu não consigo, Dina.

— Eu também não.

— Você é menos tímida que eu.

— Mas o que eu ia dizer? — Epa! Eu realmente perguntei isso? Dei margem para ela achar que eu ia fazer aquilo?

— Diz que tem uma amiga que gosta dele, não diz o nome... Aí vê o que ele vai falar e, quem sabe?

— Você tá louca! — extravasei. Mas o olhar que a minha amiga me deu, de ofendida e suplicante ao mesmo tempo, me desarmou. — Olha, desculpa. Mas é que eu não posso fazer isso.

— Por quê? Ah, deixa. Se você diz que não pode... É realmente pedir muito, eu sei.

— Tá, eu faço. — Não acredito até hoje que disse isso. Não sei de onde tirei coragem ou maluquice suficiente. As coisas que a gente faz pelas amigas...

— Jura? Obrigada!

E em segundos, Mariângela me abraçava efusivamente e exageradamente repetindo "obrigada" várias vezes. E eu não podia mais voltar atrás. Era só esperar pela oportunidade que ela mesma logo criou. Quando passeávamos pelo shopping, Mariângela disse que tinha que ir ao banheiro. Outra vez.

E eu fiquei a sós com Alberto em meio a uma multidão no shopping. Entramos em uma loja de departamentos e ele olhava jogos para Xbox sem nenhuma intenção de comprar. Eu tinha que falar logo ou não conseguiria.

— Olha, Alberto. Eu preciso te falar uma coisa.

Pronto. Foi o suficiente para chamar a atenção dele.

— Fala — disse em tom preocupado.

— É o seguinte: tem uma amiga minha que gosta de você. Tipo assim, tá a fim de você. Não, sério. Gosta mesmo de você. Muito. Ela queria saber se você..., bem, se... haveria chance...

— *Pera aí!* — ele me interrompeu. — Deixa eu pensar um minuto no que você está me dizendo.

E aí ele fez aquela cara séria e compenetrada que eu tanto amava. Virou de costas para mim por alguns momentos, que me pareceram eternos, e eu, com o coração na mão, em uma situação para lá de louca: contando ao carinha por quem eu tinha uma paixão secreta, sobre a paixão secreta da minha amiga!

Quando ele se virou, eu sabia que teria uma resposta e o *tum-tum* dentro do meu peito parecia que ia sair pela boca em uma explosão.

— Eu gosto muito da sua amiga. Mas como amigo — disse solene.

— Você sabe de quem eu tô falando? Sabe quem ela é? — quis confirmar.

— Acho que sim. Eu deduzi.

— Ah.

— E não posso ficar com ela, porque eu tô muito ligado na amiga dela. Entende?

— Ah. Aaaaaaaaaaaah...

Fiquei confusa e eufórica. Porque... porque o que ele estava dizendo era que gostava de... mim? Ele gostava de mim? Se ele gostava da amiga dela... Eu era a amiga dela! Mas Mariângela tinha outras amigas... Mas eu era a melhor amiga, certo? Talvez não...

— Quando você diz amiga dela...?

— A melhor amiga. A que está aqui.

Deus! Eu ia ter um ataque cardíaco! E agora? O que eu fazia? Dizia que gostava dele também? Agarrava ele e dava um beijo? Que difícil!

— Puxa! Puxa! Caramba! Não sei o que dizer...

— Você está legal? Não quero que fique chateada... A última coisa que quero é te magoar.

— Não! Claro que não! Na verdade, Alberto, é uma situação bem estranha, porque essa amiga da minha amiga também gosta de você.

E eu me odiei por complicar tanto! Por que não dizia logo *eu*? Eu estava falando de mim na terceira pessoa! Amiga de amiga? Que rolo! Daqui a pouco eu nem ia saber mais do que eu estava falando nem de quem!

— É mesmo? — Ele parecia animado. Deus! Ele me amava? Será mesmo? E a Mariângela? Coitada! — Legal! Tem certeza?

— Claro. Acho que ela é meio tímida. Ela gostaria que você tomasse a iniciativa, sabe... Quem sabe, se você simplesmente a beijasse... — Nossa! Que atrevida eu! Pedindo um beijo!

— É? — Ele parecia muito animado.

— Com certeza — afirmei.

Então, cheguei perto dele, levantei meu rosto e ia fechar meus olhos para esperar o beijo, quando...

— Mariângela! — ele exclamou.

Droga. Ela tinha que voltar logo agora? Eu ia ganhar um beijo do garoto de quem eu gostava. Meu primeiro beijo... E então...

Meu mundo desabou. Ele deu um passo em direção a Mariângela e eu o vi segurar o pescoço dela e abocanhar-lhe os lábios em um beijo digno de novela das nove.

Tribo da Malhação

Pois é. Eu ainda não tinha uma tribo. Ler com certeza era ótimo, mas sempre seria aquela que lia devagar e sempre. Dez livros em um ano, no máximo. Nada comparado aos números de Mariângela ou Alberto, que chegavam brincando à casa dos quarenta por ano. E por falar neles... É, Alberto e Mariângela eram um casal agora. E bastante apaixonado! Namoro sério, mas escondido dos pais dela, claro. Paguei o maior mico da minha vida! Na verdade, quando eu disse *minha amiga*, Alberto havia entendido que era *eu*. Ele pensou que *eu* estava me declarando para ele por causa daquela velha mania das pessoas dizerem *minha amiga*, quando não têm coragem de falar de si. E aí, quando disse que gostava da *amiga da minha amiga*, era Mariângela e não eu! E quando eu pensei estar dizendo que eu gostava dele e de estar lhe pedindo um beijo, eu estava, na verdade, dizendo que Mariângela gostava dele e pedindo que ele a beijasse! E ele fez isso! Na minha frente! Eu levei um tempo para entender tudo isso.

Mariângela me ajudou quando me contou o que ele contou a ela sobre nossa conversa. Eu acabei dizendo a eles que era uma brincadeira, uma artimanha. Que tudo não passava de um plano para ele e Mariângela se resolverem. Que eu nunca gostei dele como mais que um amigo. Não sei se ele acreditou, mas espero que sim. Mariângela ficou preocupada a princípio e neguei meus sentimentos por Alberto totalmente para ela. Como minha melhor amiga, ela tinha que acreditar em mim.

Enfim... Fiquei envergonhada, mas saí da situação da melhor forma possível. Acabei por ajudar dois amigos a ficar juntos, o que era bom. E reprimi mais uma vez meus sentimentos. Sabia que seria passageiro. Levaria mais um ou dois anos no máximo para deixar de gostar do Alberto. Enquanto isso, tentaria arranjar um namorado para passar o tempo e deixar de ser BV (boca virgem). Bernardo parecia bem interessado e até considerei a ideia, mas não. Eu olhava para Bernardo e tudo o que via era um pirralho. Sem chance! E o lance de arranjar uma tribo ainda era prioridade.

Comecei a considerar ser *fitness freak*. Ah, é! Aquele tipo de garota que só anda de roupa de ginástica, toda gostosa, andando pelas ruas exibindo saúde com as mesmas roupas que usa para malhar. Bem, na verdade, é ser fanático por malhação. Sei, é estranho para alguém como eu que sempre viveu arrumando atestados médicos para não fazer a levíssima aula de Educação Física da escola uma vez por semana. Mas qual é? Eu estava precisando, sabe? Tinha que ficar gata para arrumar um gato. E eu estava notando que para a minha idade eu estava flácida. Meus braços eram flácidos! Minhas pernas, roliças! E já tinha estrias e celulite aos treze anos! Eu tinha que fazer alguma coisa!

E lá fui eu para a academia no primeiro dia, toda *tchutchuca,* de tênis *novos, legging* cor-de-rosa *nova,* meias *novas*, top *novo* e uma blusa soltinha por cima do top para disfarçar minha barriguinha que seria completamente eliminada em pouco tempo, eu esperava.

Tinha insistido com minha mãe em um pacote com várias aulas. Ela pagou com cara de descrédito, já que, segundo ela, eu não ia durar um mês na academia. Quanta fé!

Comecei com o pacote de *spinning* (aquele negócio de ficar pedalando uma bicicleta ergométrica com diferentes ritmos, de acordo com o que o professor determina), *jump* (um lance de pular numa mini cama elástica com movimentos de ginástica, de acordo com a música), *tae bo* (movimentos de luta para malhar) e ginástica localizada. Eu tinha que fazer duas aulas por dia para dar conta do pacote.

Debutei com a aula de *jump* e me animei toda ao ver um professor gatíssimo, moreníssimo, gostosíssimo se encaminhar lá para frente. No entanto, durante a aula de quarenta minutos, que me pareceram duas horas e da qual saí com as pernas duras e tão doloridas que minha vontade era não fazer aquilo nunca mais, descobri que ele também era chatíssimo, estressadíssimo e rigorosíssimo! Eu não podia parar um minuto para respirar que ele gritava meu nome: *DINALVA! Vamos lá, DINALVA!* Ignorando completamente o pedido que eu lhe fiz para me chamar de Dina.

— Dinalva! Pique, pique! Não para! Não para! — gritava ele, com uma energia que me fazia pensar como era possível gritar daquele jeito pulando? Eu mal conseguia respirar!

— Professor! É Dina!

— Dinalva! Pula! Não para! E vai e vai e vai! E não para, não para, não para!

E eu tinha que parar para respirar e conseguir falar.

— Eu tô morrendo aqui... Não aguento!

— Aguenta! Dinalva! Parece uma velhinha! Quantos anos você tem? Sessenta?

— Pelo amor de Deus! Prof... eu... tô morrendo aqui...

— *Bora*, Dinalva! Pra cima, pra cima, pra cima! Pra baixo, pra baixo, pra baixo! Queimando tudo! Não para, não para, não para! Dinalva!

Não preciso nem dizer que não aguentei fazer a aula de ginástica localizada, que era depois. Na verdade, minha mãe estava certa (por que elas sempre estão?), porque eu não queria nem mais voltar e não levou nem um mês. Só um dia! Mas ela falou à beça no meu ouvido, que eu ia ter que fazer o pacote por pelo menos três meses para compensar a grana de matrícula e mensalidade que ela havia pagado.

Então fui obrigada a voltar e descobrir que o *Senhor Gostoso* e *chatoso* também dava as aulas de *tae bo* e *spinning*. Só me livrava dele na ginástica localizada, que tinha uma fofura de professora: loura, magra, mas doce e gentil, paciente e agradável. Ela me fez gostar de ginástica. Depois de três meses, pedi a minha mãe para sair do pacote e ficar só na ginástica.

Então, quando ia à academia, só encontrava o *Senhor Gostoso* — nunca guardei o nome dele — nos corredores, e aí ele falava meu nome alto e eu tinha certeza de que era de propósito! *DINALVA!*

Pois é. Não entrei para a turma da malhação, aquela que vai à academia todos os dias da semana, incluindo sábados, mas perdi a barriguinha, endureci os braços e pernas e isso tudo com uma hora por dia de ginástica, três vezes por semana. Não é legal?

Animais Festeiros

Como eu já devo ter dito, outra amiga chegada do meu grupinho era a Ana Cláudia. Ela era uma menina muito animada, adorava sair e adorava festas. Assumiu isso como uma tribo, disse que era uma *party animal*, termo em inglês para o povo festeiro. Ela me contou que seu pai a levava todos os sábados a matinês de boates ou clubes quando não havia festas para ir.

Logo que começou essa onda de tribo, a da Ana Cláudia foi uma que não cogitei logo, simplesmente porque não sabia dançar. Nunca gostei de festas. O que há para se fazer nelas? Ficar sentada a uma mesa comendo e bebendo? Tédio. E se você não gosta do tipo de música que toca então? Suplício!

Conversar só é uma opção numa festa, se você conhece pessoas lá... Normalmente só conhecia os donos da festa, que ficavam ocupados tendo que dar atenção a todos os convidados e só falavam com você no início e no final da festa para cumprimentá-lo e recepcioná-lo e depois para se despedir. E quando você dava sorte de ir a uma festa com amigos ou primos da sua idade, a música era tão alta que não dava para conversar.

Concluindo: se você não dançava literalmente, dançava conotativamente. No fim das contas, se dava mal.

Vergonha, falta de ritmo, falta de prática, sei lá. O fato é que nunca consegui aprender a dançar. Quando era criança, minha mãe me colocou para fazer balé. Desastre total. Odiei a professora, porque insinuava que eu era gordinha para a idade e para o balé. Aí desgostei de vez da dança. Simplesmente desisti. Deixei para lá. Então, agora que tinha aceitado o convite de Ana Cláudia para uma matinê, por falta de opção de tribos, eu me questionava: o que eu ia fazer lá? Como ia ser festeira sem dançar? Beber? Nós não bebíamos! Éramos menores! Também estava evitando o refrigerante... Paquerar? Talvez.

Mas minha total inaptidão para a dança não me impedia de admirar quem tinha esse talento. Sempre tive inveja de quem sabia as dancinhas da moda, ou até as antigas. Sabe, meu pai sabia dançar direitinho o tema de *Saturday Night Fever — Os embalos de sábado à noite* — aqueles passos que o John Travolta dança ao som dos Bee Gees, com *Stayin´ Alive*. Não sabe qual é? Ah, tudo bem. Não é da sua época, nem da minha! Mas toda vez que íamos a uma festa e resolviam tocar aquelas músicas velhas, meu pai dava um show. Já a minha mãe mandava muito bem na coreografia de *Thriller*, de Michael Jackson. Ah, vai! Essa você sabe qual é! Já eu, total fracasso. Parece que não conseguia pegar nem o *Ai, se eu te pego!*, do Michel Teló, que era composto de apenas algumas voltinhas e viradinhas e um gesto obsceno.

Bem, quando contei a Ana Clara que não sabia dançar, ela ficou toda animada e criou um projeto: *Dinalva — eu danço, ela dança!* Brincadeirinha... Não a coisa toda com esse nome e tal, mas a parte de me ensinar... Assim é que eu me encontrava há três semanas indo a casa dela quase todos os dias depois das aulas. Começamos com passos simples e um balanço que poderia servir para vários tipos de música. Como, ao parecer dela, eu ia indo bem — opinião única e exclusivamente *dela* —, ela ficou mais ousada: cismou que ia me ensinar uma coreografia completa. Fui logo pedindo *Thriller!!!* — Morria de inveja da minha mãe! Mas ela não sabia essa e disse que era velha, que só tocavam *Thriller* numa festa se pedissem.

A danadinha tinha algo mais ousado em mente: a última modinha em dancinha. Aquela que havia batido recordes de acesso na Internet no último ano. Um verdadeiro estouro. Difícil. Muito difícil. Difiçona! Mas era isso ou nada para Ana Cláudia.

Estávamos treinando tanto, que a porcaria da música não saía da minha cabeça.

Por causa de nossa empreitada, comecei também a assistir a filmes musicais, que sempre detestei e a tentar aprender as coreografias. Eu estava realmente ficando animada: *Flashdance*; *Footloose*; *Ela dança, eu danço* e por aí vai... E a *Dancinha* já estava afiadinha... Até gravamos um vídeo e mal pude acreditar quando me vi dançando com a Ana Cláudia.

Mas uma coisa é gravar um vídeo — que tive que implorar para ela não colocar no YouTube, — outra era dançar na frente de outras pessoas e, eu estava nervosa.

Quando chegou o dia, eu estava ansiosa e medrosa. Eu queria muito ir até aquela boate e arrasar na pista. Mas, por outro lado, eu queria inventar que estava com dor de barriga e não ir. O que eu fiz? Fui, claro.

— Ana, e se não tocar?

— Vai tocar. Ainda está na moda.

— E se não tocar? — insisti.

— Aí você dança o que tocar usando os passos da dancinha...

Eu não sabia se conseguiria. E não consegui mesmo. Travei. Travei no meio da pista de dança. Nem um balanço e uma movimentação básica eu conseguia fazer. Nada me fazia mexer. Nem a Beyoncé, nem o Calvin Harris, nem o David Guetta!

— Dina! Dina! — Ana Cláudia estava desesperada. Acho que eu a estava fazendo passar uma vergonha feia. — Sai daí, Dina!

Eu travei e congelei e estava que nem estátua no meio da pista. Ela me empurrou e me puxou e não sei como conseguiu me tirar de lá.

— Dina, o que houve?

A verdade é que eu nunca tinha me sentido daquela forma antes. Era pânico.

— Travei — respondi simplesmente.

— É, eu vi. Por quê?

— Não sei. Eu só travei — ao dizer isso, senti meus músculos finalmente relaxarem.

— Eu vou pegar um refrigerante para você. O açúcar pode lhe fazer bem.

E assim vi minha amiga se afastar. Eu me sentia extremamente frustrada, porque eu tinha treinado muito, tentado tanto e Ana Cláudia tinha se empenhado bastante e por tanto tempo! Coitada! Eu a decepcionei. Desperdicei o tempo dela totalmente!

Olhei em volta. Esperava ver todos me olhando e cochichando ou rindo, porque eu travei. Mas ninguém estava olhando para mim. Ninguém havia prestado atenção à estátua no meio da pista. Ou não ligavam. Não estavam nem aí... Aí olhei para a pista de dança. Vi algumas pessoas que mal balançavam seus corpos. Só um ou dois que sabiam passos legais. Outros dançavam de forma absolutamente ridícula! E ninguém ligava também! As pessoas não reparavam e, se reparavam, não se importavam. Eu podia ir até lá e me balançar no ritmo ou bancar a ridícula ou até ficar parada. Cada um ia cuidar de sua vida. Eu não precisava me preocupar com quem estivesse olhando! E daí? Ninguém ligava! E se ligassem e dissessem alguma coisa, que se danassem! Não havia motivo para não me divertir me preocupando se os outros iam achar que eu dançava bem ou não. Idiota eu seria, se ficasse me amolando por aquilo.

Ana Cláudia voltou com o refrigerante. Agradeci e bebi. O açúcar realmente caiu bem, pois eu tinha gelado de nervoso quando travei. Relaxei e sorri.

— Você está bem?

— Estou melhor.

— Não precisamos dançar, se você não quiser.

— Não. Tudo bem. Só me dá mais uns minutinhos e eu me junto a você.

— Sério?

— É. Pode ir lá pra pista. Eu já vou.

Ana Cláudia foi. Acho que ela sem dúvidas gostava muito de dançar, mais do que jamais entenderei. Fiquei num canto bebericando o restante do refrigerante e me preparando psicologicamente para enfrentar a pista de novo. A cada gole, eu imaginava tomar um elixir de coragem e desinibição. O álcool faz isso, não o refrigerante. Mas para mim era tudo uma questão de preparo mental. A excitação do desafio tomou conta de mim e aquilo, de certa forma, causava prazer. Se eu conseguisse vencer o medo e dançar, poderia me divertir e cruzar uma linha, superar um limite.

— Oi, tudo bem?

Virei-me, surpresa, para me deparar com um garoto que parecia bem mais velho que eu. Ele era moreno, tinha cabelo encaracolado, olhos escuros e era bonito sem ser bonito. Veja bem, como alguém pode ser bonito sem ser bonito? Difícil de explicar.

Ele não tinha os traços harmoniosos de um modelo ou astro de Hollywood, mas tinha traços fortes, definidos e atraentes, além de um olhar sedutor.

— É, oi. — Eu fui pega totalmente de surpresa.

— Posso falar com você? Você não está acompanhada de um garoto, está?

— Não.

— Qual o seu nome?

— Dina.

— Dina?

— É. — Como eu me odiava por ter ficado tão tímida e monovocabular. Eu jurei naquele momento que a próxima frase que eu dissesse teria mais de uma palavra.

— Prazer. Giu — disse apenas, sorrindo.

— Giu? — só uma palavra de novo! Ah, como eu me odiava! Mas que nome era aquele? Bem, Dina também não era...

— É redução de Giuseppe — falou sorrindo e, que sorriso lindo! — Mas, por favor, só me chama de Giu. Giuseppe, sabe? Nome italiano... Coisa dos meus pais.

Ah, eu sabia bem como era! Embora eu tenha achado Giuseppe muito romântico, não sei por quê. Como um cavalheiro antigo e italiano...

— Eu também. Quero dizer, meu nome é Dinalva, mas prefiro Dina.

Rimos juntos.

— Então, temos alguma coisa em comum — disse. — Mas embora eu entenda e respeite você preferir Dina, achei Dinalva romântico... como nomes de donzelas dos tempos antigos...

Deus! Eu tinha morrido e ido para o paraíso? Ele pensou do meu nome o mesmo que pensei do dele!

— Você não vai acreditar, mas pensei o mesmo sobre seu nome! Bem, sem a parte da donzela, claro.

Rimos juntos de novo. E conversamos. Giu tinha dezesseis anos e estava no segundo ano do Ensino Médio. Eu me senti uma pirralha perto dele. Ele era bem mais maduro que os garotos da minha turma. E era bem diferente também. Não assistia a novelas, nem a *Jovem e Ação*, graças a Deus! Ele só assistia a filmes e séries — a maior parte no computador, pois ele baixava tudo o que queria na Internet. Ele jogava vôlei de praia e queria estudar Engenharia.

Contei também um bocado sobre mim. O engraçado é que não menti, nem exagerei para parecer mais interessante, como costumava fazer perto de garotos.

Ele morava em outro bairro e não gostava muito de baladas, só vinha para acompanhar os amigos. Ele apontou para eles ao me contar. Estavam todos dançando.

— E também para conhecer garotas bonitas. — As últimas palavras ele jogou diretamente para mim, usando um olhar penetrante e um meio sorriso sedutor.

Ele me convidou para dançar e eu aceitei. A música era rápida e dançamos nos balançando próximos um do outro. Ana Cláudia se aproximou e ficou admirada por eu ter arranjado um *ficante*, embora até aquele momento, estivéssemos apenas dançando. Eu me sentia ótima. Um rapaz atraente estava flertando comigo e isso fez muito bem à minha autoconfiança. Parei de me balançar, ensaiei alguns passos e não me saí mal.

Aí aconteceu. Logo aos primeiros acordes, reconheci o hit. Ana Cláudia se aproximou e fez um gesto com a cabeça, acompanhado por um olhar, que significava que estava me intimando a dançar nosso desafio. Eu balancei a cabeça afirmativamente. Topei. Eu, ela e alguns outros, que também pareciam conhecer a coreografia, fizemos os passos. Giu se admirou e tentou imitar a princípio, mas desistiu e se afastou para só ficar olhando. *Se errar, ignore e continue, só não pare!* Eu mantinha as palavras de Ana Cláudia na cabeça, mas eu não errei! Nós arrasamos! Tive certeza disso, quando ao final da música ouvimos assobios e palmas.

Ana Cláudia me abraçou de tanta felicidade. Giu veio me cumprimentar também. Depois ele me puxou para um canto. Eu sentia, pressentia que ele ia me beijar. E eu queria, queria muito. E ele me beijou. E eu o beijei. Não nos desgrudamos mais até que meu celular apitou uma mensagem de texto: meu pai estava lá fora me esperando no carro. Caramba! Como o tempo tinha voado!

O tempo da matinê tinha chegado ao fim. Trocamos telefones, ele me prometeu que me ligaria, mas disse que se eu quisesse, também poderia ligar para ele. Mais um beijo de língua para a despedida e pronto. Acabou. Ana Cláudia foi comigo, meu pai ia dar carona para ela. Pedi a ela que não falasse nada sobre o Giu no carro, perto do meu pai, que depois a gente conversava.

Entendam bem, eu não mentia para meus pais, mas algumas coisas eu preferia omitir, porque eram muito pessoais. E eu não queria ouvir minha mãe repetir toda aquela conversa que tínhamos tido quando completei doze anos, sobre homens e mulheres e de onde vinham os bebês. Bem, talvez eu contasse para minha mãe depois que eu tinha beijado pela primeira vez. Pareceu meio importante, né? Tipo antes e depois... um marco na vida da pessoa. Mas para o meu pai, não. Não queria nem pensar em ter aquele tipo de conversa com ele. Ele ia saber, mas não por mim. Minha mãe iria contar. Mas aí ela o amansava e quando ele viesse falar comigo, iria acabar não falando nada. Igual quando menstruei pela primeira vez. Ele chegou todo sisudo e disse sem jeito:

— Sua mãe me contou.

— É.

— Então tá.

E isso foi tudo. Não me entendam mal, não é que meu pai não conversasse comigo. Ele até falava bastante, mas não sobre coisas de garota ou qualquer coisa ligada a sentimento. Só conversa fiada, piadas, brincadeiras, comentários sobre filmes... e estava bom daquele jeito. Acredite em mim.

Mas voltando ao marco da minha vida, divisor de águas, tipo antes e depois do primeiro beijo, o estranho é que eu me sentia igualzinha. Eu tinha sonhado demais com aquilo e, talvez, esperado demais. Imaginava uma cena de filme, sentir aquele calor que a gente sente quando o casal de uma série finalmente se beija após seis temporadas de tensão amorosa entre os dois, principalmente em seriados policiais entre parceiros de sexos opostos. Mas não aconteceu. Havia um calor, mas era diferente. E não foi tão gostoso quanto eu imaginei. Foi até meio nojento, sabe? Aquela coisa com a língua... Eca! Acho que foi gostoso e nojento ao mesmo tempo. Precisava falar com minhas amigas, saber como era para elas. E bem, precisava falar com minha mãe...

Acho que pode ser porque não tivemos que esperar seis temporadas. Não esperamos nada! E nem nos conhecíamos. Talvez o que tornasse o beijo mais especial e gostoso fosse o... claro, conclusão óbvia: o sentimento. Apesar de ter gostado do Giuseppe, eu não o conhecia para realmente gostar dele, sabe? Talvez, se saíssemos juntos algumas vezes e... Ah, quem eu estava enganando? Mesmo sem conhecer o cara, se ele fosse o amor da minha vida, o que provavelmente não seria, era para eu sentir algo mais no beijo, não? Não? Eu não sei. Ou precisamos mesmo conhecer primeiro, para depois sentir...? Bem, eu queria que ele me ligasse. Por quê? Ah, claro. Porque eu queria beijar de novo. Porque eu poderia vir a gostar dele e beijar mais e melhor... Eu queria que ele ligasse... Mas *eu* não ia ligar para ele.

Ele não ligou. *Não ligou!* Nunca. Nem mandou mensagem. Eu também não liguei para ele. Depois de passado algum tempo, aquilo ficou ainda mais distante e frio. Não fazia o menor sentido. Eu não podia ligar e dizer: *Ei, vamos sair um dia desses porque eu gostei muito de você*, porque não era verdade. E a verdade eu não conseguiria dizer: *Ei, vamos sair um dia desses para beijar mais...* Porque sair com a pessoa, ver a pessoa de novo já é meio que um compromisso e os meninos daquela idade não queriam nenhuma espécie de comprometimento. Na verdade, nem eu queria aquilo. Pelo menos não com o Giuseppe.

Não consegui conversar a sério sobre essa coisa de sentimento no beijo com minhas amigas. Para elas, beijar era beijar. Não tinha essa de fogos de artifício, sinos tocando, nem calor de série de tevê. Não é estranho? Quando foi que as meninas deixaram de ser românticas? Será que só eu me questionava sobre aquilo? Sobre um beijo ser vazio ou cheio de... alguma coisa...

Bem, a Mariângela foi a única que entendeu o que eu estava falando. No que se refere a tensão, ela e o Alberto tiveram umas duas temporadas e meia desde o quinto ano. Por falar em Alberto, ainda meio que doía um pouco vê-lo com minha amiga. Nem tendo beijado um garoto, o que eu sentia por ele deixou de existir. E tenho quase certeza que, se em vez do estranho e sedutor Giu, eu tivesse beijado o Alberto, com quem eu também sonhava há duas temporadas e meia, a coisa teria sido bem diferente. Haveria um calor...

Minha mãe disse que quando beijou meu pai pela primeira vez, sentiu como se os dois estivessem sozinhos no universo, que não havia nada nem ninguém à volta deles e que depois passou o dia todo suspirando. Ela disse que não era assim com seus outros namorados. O que confirmava a minha nada original teoria de que o amor é que fazia a diferença. Dah-ah! A questão era: esperar pelo amor ou ir beijando muito até lá? Minha mãe estava preocupada com isso, com como eu agiria daí por diante. Ela achava que garota que ficava com um diferente toda semana, que em toda festa que ia ficava com um era... bem... você sabe, né? Não é igual para meninos e meninas. Os meninos ficam bem falados e contam vantagem, já as meninas, ficam mal faladas... Por mais modernos que os tempos estivessem, ainda era assim.

O que eu falei para minha mãe que ia fazer era o que eu realmente pretendia fazer: ficar com um garoto toda vez que eu pelo menos gostasse um pouco dele, achasse que ele fosse legal, como foi com o Giu. Sem forçar a barra, sem me atirar para cima dos meninos, deixando que eles viessem e, se me encantassem e eu simpatizasse com eles, bem, ficaria com eles. Se me ligassem e quisessem sair, se eu continuasse gostando, sairia e namoraria. Daí para diante, seria assim enquanto não aparecesse o meu príncipe.

Essa foi uma das razões pelas quais não pude continuar a sair com Ana Cláudia todo fim de semana. Nas baladas, sempre havia meninos interessantes que tinham uma lábia que me fazia gostar deles. Gostar para ficar. Eles falavam o que a gente queria ouvir. Falavam o que eles sabiam que ia fazer a gente deixar eles nos beijarem. E fiquei com mais dois depois do Giu nos dois sábados subsequentes. Um a cada semana, claro.

Mas aí eu vi que isso ia acontecer toda semana. Ao contrário da Ana Cláudia, que se acabava na pista de tanto dançar e não dava muita chance para os meninos (acho que ela só ia mesmo a esses lugares para dançar), eu parecia ter um ímã para esses conquistadores. E a ideia de que estava beijando um cara diferente a cada final de semana me enojou. Desculpe se pareço antiquada ou moralista, mas o fato é que eu não queria ser apontada como a garota que toda semana ficava com um diferente. Os beijos vazios...

E, gente! Eu era católica, né? Estudava em escola de freiras. E tinha aula de religião! E tinha a irmã Maria dizendo que meninas fáceis eram laranjas, uma metáfora horrível que ela usava para dizer que os meninos chupavam a laranja e depois jogavam fora o bagaço. Por mais moderninha que eu quisesse ser, todo aquele papo de pecado e certo e errado e promiscuidade... Bem, aquilo me apavorava. Eu não queria ser freira nem santa, mas também não queria ter relacionamentos levianos. Então, era hora de acabar com a pegação!

E claro, também cansei de todo aquele agito e badalação, música alta e dança. Eu não era uma festeira ou baladeira afinal. E assim, eliminei mais uma tribo da minha lista.

Tribo do rock

Aumenta que isso aí é rock´n´roll!

Nunca pensei em ser roqueira. Foi a tribo que menos cogitei. Detestava aquela coisa de vestir preto e usar correntes. Eu fazia muito mais o tipo *patricinha*, gostava de usar cor-de-rosa e roupas claras ou coloridas. Pretinho básico, tudo bem, mas nada exagerado. Toda de preto que nem morcego? Só se fosse para ir à festa de Halloween do cursinho de inglês. Mas fazer o quê? O que uma adolescente desesperada não faz pela sua vida social?

Então, foi assim que me aproximei da Lílian, uma garota meio alternativa, da outra turma, a 801. Comecei perguntando sobre a tribo dela. Todo dia eu perguntava uma coisinha. "Qual sua banda favorita?", "O que é rock clássico para você?", "Gosta de *college* rock?", tudo tirado de meus recentes conhecimentos sobre rock, via Google. Assisti a muitos vídeos dos artistas que ela citava. Eu listava mentalmente os nomes para anotar depois, logo que estivesse sozinha.

Por incrível que pareça, aprendi muito e descobri uns sons muito bons que eu desconhecia totalmente! Caraca! Rock era muito legal! Comecei a escutar direto: em casa bem alto e no fone de ouvido do celular quando estava na rua. Aprendi a cantar várias letras em português, mas a maioria do que era considerado rock pelas tribos era em inglês. Sorte eu estar já no nível avançado do curso, tirei de letra.

Após duas semanas de rock direto em casa, minha mãe começou a se preocupar. É que eu sempre tive um gosto eclético para música. Ela não devia estar entendendo nada. Invadiu meu quarto no sábado à tarde, quando eu fazia os exercícios de inglês, embalada ao som do AC/DC.

— Dina, o que é que está acontecendo? Você nunca foi de ouvir rock assim... — Tive que diminuir o som, mal ouvi o que ela tinha dito, mas adivinhei o conteúdo.

— Oi?

— Esse rock! Por que isso agora? Você nunca ouviu tanto... Tá direto tem um tempo...

— Ô, mãe, qual o problema? Tô numa fase rock´n´roll, eu acho.

— Já reparei também na sua pintura... Tá usando muito rímel, muito lápis preto nos olhos. Você por um acaso não está...?

— Virando roqueira? É.

— Ah, era só o que me faltava! Você não tem o perfil, Dina! Não tem motivos para esse tipo de rebeldia!

— Mãe, não encana, não! Não tenta me analisar nem me consultar. Não estamos no seu consultório e eu não sou sua paciente. É só uma fase, relaxa.

— Como assim só uma fase? Você mesma já determinou que é só uma fase? Isso é estranho...

— Estou descobrindo o rock. Quando me cansar, saio fora.

— Ah, *pera* aí! — Ela pareceu estar lendo nas entrelinhas. Sabia que ela ia perceber logo. — Isso tem a ver com aquela história de tribo, né? Você ainda está tentando se encaixar numa!

Suspirei derrotada. Ela estava certíssima. Eu realmente estava encantada pelo rock e numa fase de descoberta musical, mas sabia que não tinha a paixão necessária para ser realmente uma roqueira tribal.

— É, mãe. É isso mesmo. Por isso, você não se preocupe. Vou ser roqueira só enquanto a história de tribo na *Jovem e Ação* continuar.

— Isso é um absurdo! Você tá fingindo! Tá forçando uma barra! Não é uma coisa natural!

— Mas que é que eu vou fazer? Pelo menos a Lílian não é da minha turma e nem me conhece muito bem. Não consegui enganar meus amigos nas tribos deles... Eles me conhecem e viram que não era a minha nenhuma delas, das deles, quero dizer.

— Lílian? Que Lílian?

— A menina da 801, que é roqueira e que pode me incluir em uma tribo do rock. Inclusive, ela me chamou para um show numa lona cultural...

— Dinalva! — Ih, quando me chamava pelo meu nome mesmo não era bom sinal. — Isso está indo longe demais!

— Mãe! Eu já tentei de tudo! Tentei ser *otaku*, traça de livro, festeira-baladeira, rata de academia! Só sobrou isso!

— Não é honesto! Você está tentando ser uma coisa que não é! Se você realmente fosse roqueira, se tivesse a paixão...

— Aí é que tá! Eu não tenho essa paixão por nada!

— Tem sim, só que ainda não sabe. Você ainda vai descobrir o que te motiva! Você é muito nova!

— Mas então até lá, vou de roqueira... Só para a galera me deixar em paz, tá?

— Não concordo com isso.

— Mãe, presta atenção! Quando te perguntam qual o seu time, o que você responde?

— Ah, é... Eu digo que é Vasco.

— Tá aí. Você não é Vasco. Você nunca assistiu a nenhum jogo do Vasco. Você não torce por ele, você detesta futebol. Aliás, você não assiste a nenhum jogo de futebol. Então, por que diz que é Vasco?

— Porque é mais fácil dizer um time qualquer que explicar que não gosto de futebol e não ligo para time... Brasileiro não entende isso...

— Pois então — disse sorrindo, com ar de triunfo. — Os adolescentes também não entendem quando digo que não tenho uma tribo. Especialmente se *Jovem e Ação* diz que todos devem ter uma.

— Seus amigos engoliram essa história de rock? Caíram nessa?

— Como patinhos — disse sorrindo. — Eu disse que descobri o rock agora e me identifiquei e que é a minha tribo.

— Inacreditável!

— Por isso que preciso ir ao show de rock com a Lílian e a turma dela. Tenho que tirar umas *selfies* com eles com o show ao fundo e postar para convencer todo mundo de que sou uma tremenda "rocker" — concluí divertida fazendo o gesto com a mão, a tal "mão chifrada", símbolo máximo do rock.

Minha mãe franziu a testa e pensou por um instante. Ela estava dividida entre suas convicções e minha argumentação que, aliás, me deixou bem satisfeita! Eu mandei muito bem, não foi?

— Você ficar nessa de roqueira tudo bem, mas show de rock? Não sei não!

— Qual o problema? A gente só vai sair de lá de manhã, aí já tem ônibus, volta todo mundo junto, uma galera, não tem perigo.

— Estou pensando se o perigo não é a galera.

— Por quê?

— Ah, Dina! Não vai me dizer que nunca ouviu falar das coisas que rolam nesses shows? Rock sempre esteve associado a sexo, drogas, satanismo, tatuagens...

Ela começou bem, mas tatuagens? E pior que ela falou como se fosse tão ruim quanto... Tá, eu sabia que meus pais não gostavam de tatuagens. Para eles era sujeira na pele, feio, vulgar. Acabei também não tomando gosto pela coisa. Influência deles, eu acho. Não achava bonito e a única razão lógica para se fazer uma tatuagem, na minha opinião, era se achasse bonito. Então, minha mãe podia ficar tranquila, que eu não apareceria na manhã seguinte ao show com uma daquelas marcas definitivas. Aliás, essa era a outra coisa que eu não gostava sobre as tatuagens: eram permanentes. Eu não conseguia me imaginar usando a mesma maquiagem, mesmos brincos ou cordão pelo resto da vida, porque sei que ia enjoar! Então, como vou fazer um desenho para sempre? E se daqui a uns vinte anos tatuagem se tornar algo brega e ultrapassado? Deus me livre! Se quisesse muito, faria uma daquelas que saem.

— Mãe, sempre achei isso uma estupidez. Eu POSSO gostar de rock e não querer saber de drogas nem de nada do tipo que você falou. Não é um pacote fechado. Eu gosto de rock. Só. O resto não me interessa. Se para ser roqueira, eu precisar das outras coisas, tô fora! Eu juro!

— Também penso assim, filha. Mas tenho medo das influências.

— Eu sou cabeça dura, mãe. Ninguém vai me influenciar assim tão fácil.

— É, mas vê onde essa influência de tribo está te levando!

— É diferente. Eu sei o que estou fazendo. Estou fazendo tudo calculado.

— É, chega a estar me assustando — brincou com um sorriso nos lábios e tom de concordância. — Vou te levar e buscar no show. Só assim.

— Ok. Sem problemas!

Não sei dizer exatamente como cheguei ao show. Parece que entrei numa espécie de transe. Me desliguei um pouco e, quando percebi, já estávamos todos lá, diante do palco. Talvez fosse porque não me sentia como eu mesma. Usava uma camiseta preta da banda *Evanescence* e uma *legging* também preta, pulseira heavy metal e tênis pretos. No rosto, fiz uma maquiagem tão pesada, que tomava um susto a cada vez que me olhava no espelho. Definitivamente, aquela não era eu. Senti-me mal com a farsa, mas era tarde para me arrepender.

Lílian e as outras garotas do grupo se vestiam mais ou menos como eu. Uma delas tinha cabelo roxo. Os meninos também usavam lápis em torno dos olhos e preto dos pés à cabeça. Ela me apresentou ao grupo e logo de cara senti que não havia afinidade nenhuma entre mim e eles. Menos ainda que com Lílian. Um desespero foi tomando conta de mim, sentia um sufoco, um mal-estar... O ambiente me parecia pesado e sentia como se meus colegas ali falassem outra língua.

A banda não era famosa, era um rock alternativo. Eles cantavam em português e em inglês. Até que gostei de dois sons deles, o que me distraiu um pouco. Mas bastava que desse uma olhada no ambiente e me sentia mal de novo. Claramente, percebi que havia consumo de drogas ao redor. Puxa! Por que não podíamos simplesmente curtir a música? Sem aquilo! As pessoas eram mesmo muito limitadas!

Dei graças a Deus porque o grupinho da Lílian não se entregou ao estereótipo! Eles apenas curtiam o som! Rock do bem! Diversão saudável, indiferentes ao comportamento decadente de muitos que nos cercavam. Naquele instante, fiquei feliz por eles e pela Lílian. Mas decidi que seria meu primeiro e último show de rock. Eles eram uma galera bacana, decente, mas, ainda assim, eu não era um deles. Tirei as fotos, as selfies e já fui postando tudo com os dizeres: "Curtindo um show de rock com minha tribo". Pronto. Acho que aquilo serviria até aquela bendita novelinha mudar de assunto. *Jovem e Ação*, qual a sua tribo? Já deu, não?

Voluntários

Se eu desisti de procurar uma tribo? Ah, mais ou menos. Eu ainda cogitei outras. Pensei em virar bruxa, juro! Seriinho! Aquele lance de *wicca*, que mexe com as forças da mãe natureza e que dizem que é de bruxa... Acender velas e incenso e espalhar cristais pela casa, mas minha mãe não deixou. Católica, lembra? Não ia dar certo mesmo. Já pensou se as freiras da escola descobrissem? Iam pirar. Mesmo eu não vendo nada de bruxaria ou de maligno nessas *wiccas*, o pessoal religioso pega pesado com esses troços e eu já imaginava a irmã Maria invadindo a minha casa para queimar os livros e me jogar na fogueira, literalmente.

Uma dúzia de outras tribos que cheguei a pensar em tentar não tinham nada, absolutamente nada, a ver comigo. E aquela conversa de tribo já estava passando dos limites. Eu já estava saturada. As fotos que postei do show de rock garantiram que eu tivesse uma tribo, mesmo falsa. Para meus amigos, pelo menos, eu tinha. Dina, a roqueira! E por isso continuei a caprichar na maquiagem e na roupa preta quando saía com meus amigos nos finais de semana.

Felizmente, não precisava fazer isso quando ia à escola. Colégio de freiras! Era proibido usar maquiagem! Até batom! A gente passava só um brilho discreto nos lábios.

Também não precisava bancar a roqueira quando ia à missa, seria até inapropriado, né? Num domingo, após a missa, a irmã Teresa me fez um convite inesperado:

— Ah, Dinalva. A menina cheia de energia que podia me ajudar.

— Ajudar? — respondi cheia de má vontade e tédio fingido que os adolescentes sempre usam para parecerem profundos e injustiçados. Mas eu era uma total rebelde sem causa.

— É, ajudar. Sabe, todos nós estamos aqui na Terra para isso, não é? Ajudarmos nossos semelhantes? — Ela continuou com aquele sorriso inabalável. As freiras eram na maioria assim, sorridentes e com aquela aparência de felicidade quase irritante, enquanto nós *aborrecentes* gostávamos de parecer contrariados e entediados o tempo todo.

— O que é, irmã?

— Eu estou trabalhando em um projeto que leva jovens a asilos, para ler para os idosos, e também levamos mantimentos e outras coisas que as pessoas doam. Também vamos a hospitais para visitar crianças doentes e abrigos de crianças.

Minha mãe se aproximou. Ela tinha escutado o convite e estava curiosa para ouvir minha resposta. Achei dentro de mim e de minha comodidade uma série de desculpas para poder dizer *não*. A principal seria tempo para estudar. Mas me lembrei de quanto tempo gastei atrás de uma tribo. Entrei para academia, fui a festas, fui a eventos, li livros, show de rock... E, que se dane! Por que não? Ajudar! Sim, queria ajudar! Vivia me perguntando o que poderia fazer para ajudar os outros e ali estava minha chance! A única coisa que precisava gastar era tempo. Ora, todo adolescente que só estude, não trabalhe, tem tempo! Mesmo com os estudos! E ainda podia dizer que era uma tribo, né? A tribo dos...? Voluntários! Isso! É como se chamam, não? Beleza. Se minha mãe não se opusesse...

— Se meus pais deixarem... — respondi.

— Você acha que tem estrutura, filha? — perguntou minha mãe, muito séria, olhando-me diretamente nos olhos. — Estrutura? Responsabilidade?

— Claro, mãe — respondi mais em relação à *responsabilidade*, pois não sabia o que ela queria dizer com *estrutura*.

Eu logo descobri o que minha mãe queria dizer com *estrutura*. Já na minha primeira visita ao asilo de velhinhos, chorei pra caramba! Era muito triste. A gente ia para ler para eles, mas acabava escutando mais do que lendo ou falando. Eles interrompiam a leitura e falavam da família e da vida. Eram tantas histórias tristes e de abandono...

"Chora, não, minha filha...", eles diziam, mas a narrativa continuava e meus olhos me traíam. É, eu não tinha *estrutura*! Mas que ser humano tem? Quem que tenha sentimentos ou compaixão pode ouvir e ver tamanho descaso e não se emocionar? Já sei. Já sei o que pensaram: mais uma tribo na qual ela não se encaixou e da qual ia desistir! Enganados! Eu chorava sim, mas nunca senti tanta felicidade na minha vida! As lágrimas me lavavam a alma e o sofrimento compartilhado me fazia me sentir ainda mais grata e abençoada pela vida que levava. Sentia-me útil e importante. Tudo parecia ter um novo sentido. Era como se eu estivesse enxergando o mundo com outros olhos. Amadureci legal! Sentia-me mais velha, mas num bom sentido, sabe? Sabendo das coisas, entendendo o mundo e a vida.

Tive muitas conversas com meu pai e minha mãe sobre o trabalho voluntário e acabei levando eles comigo em alguns fins de semana. E adivinha só? Eles também choraram.

Mas vocês acham que isso foi o pior? Nenhuma história triste de velhinho me preparou para as crianças com câncer. No dia em que fui ao hospital com a Irmã Teresa pela primeira vez, quase não consegui fazer meu trabalho, de tanto que chorava! Aquelas criancinhas... Só consegui me controlar na terceira vez. Aí sim, li para eles, usei as aulas de dança de minha amiga para fazer umas dancinhas para as crianças, conversei com elas... Adorava bancar a palhaça para elas. Descobri que tenho um talento para ser engraçada com crianças! Quem diria!

Então tá, né! Virei voluntária. Onde havia trabalho eu ia. A irmã me chamava, eu ia. A minha vizinha, que era evangélica, me chamava para levar mantimentos para abrigos e campanhas, eu ia. Minha outra vizinha, que era espírita e que, às vezes, fazia turno em creche de comunidade, também tinha descoberto que eu era voluntária, aí também me chamava. Eu ia. Eu estava pronta. E o trabalho aparecia. E estava feliz.

Era triste às vezes? Muito. Chorava quase todos os dias, mas nunca tinha me sentido tão viva e tão útil na minha vida. Pensei que ia me atrapalhar nos estudos, mas não. Ao contrário. Aprendi a me organizar melhor, fiquei mais responsável e parece que o tempo rendia até mais. Não perdia mais tempo com babaquices, se é que me entendem.

Parei de postar besteira nas redes sociais, agora eram só coisas "cabeça", sabe? Falava das instituições, pedindo ajuda... Falava sobre o que era feito por tantas pessoas anônimas.

Claro que para muitos me tornei uma chata. Uma garota de treze anos preocupada em ajudar os necessitados? Meus assuntos não eram exatamente divertidos. Aí, separava: com quem não tinha *estrutura*, só falava sobre coisas amenas.

Tentei jogar *voluntários* como tribo na conversa com meus amigos, mas eles não caíram nessa! Imagine! *Voluntários* não podia ser uma tribo! Por que não? Não podia ser uma coisa séria, é isso? Eles disseram que era TRABALHO. Tudo bem. Já não estava ligando mais para aquela parada de tribo. Eu era VOLUNTÁRIA, mas, para eles, roqueira.

Qual a minha tribo afinal?

Jovem e Ação saíra finalmente do assunto de tribos. Estavam falando então sobre namoro e tipos de beijo. Felizmente já possuía alguma experiência na área. Embora pressentisse que ia ter que arrumar algum *ficante* para experimentar todos os ridículos tipos de beijo que estavam inventando na novela.

Tão logo o assunto foi esquecido no programa de tevê, larguei as roupas pretas e o lápis de olho. O mais interessante é que ninguém da escola notou. Eu não falei a respeito e eles não falaram a respeito. Minha mãe notou e ficou aliviada com o fim da minha fase tribal de identidade falsa. Acabei não assumindo verdadeiramente nenhuma tribo. Simplesmente era muito jovem para me agarrar a um estilo de vida definitivo. Continuo não concordando que alguém deva fazer alguma coisa só porque um programa de tevê diz que tem que ser assim. Isso é muito perigoso e nos empurra em direções que podem não ser de nossa vontade ou essência.

Havia tanta porcaria na tevê naquela época! E ainda há atualmente. Bem, não sei se é só naquela época e hoje. Acho que sempre houve porcaria na tevê. A gente reclama de programas que exibem artistas que cantam música pobre, com conteúdo de gosto duvidoso e mulheres seminuas rebolando, como se fossem pedaços de carne em uma vitrine de açougue, mas esse formato de programa é muito antigo. Minha mãe me disse que na época dela tinha uma cantora que *gemia* algumas sílabas, entre elas: *ai* e *ui* repetidas vezes e de resto ela rebolava com poucas e provocantes roupas. Programas de auditório em que os convidados eram sujeitos a humilhações em troca de prêmios ou dinheiro também já existiam na época dela. O problema era que, sem a censura que havia em outros tempos, até palavrões e linguagem chula e vulgar faziam parte da programação mais atual, das letras das canções e até do linguajar de profissionais da mídia. Parecia não haver mais filtro.

Os *reality shows* também chegaram para mostrar que não há limite para a futilidade e baixaria. Sei lá. Eu tinha treze anos, mas não era imbecil! E o que parece é que a tevê queria nos tratar a todos como imbecis. Infelizmente nem todos têm a sorte de ter o pai e a mãe que eu tinha, que me educaram e que quando me deixavam assistir a um programa de conteúdo duvidoso, ficavam ao meu lado e faziam comentários ácidos para desenvolver o meu senso crítico, ajudando-me a saber o que era certo e o que era errado. NUNCA assistimos à tevê calados! Nunca! Posso até hoje escutar minha mãe frequentemente dizendo *Que absurdo! Como pode isso? Isso não existe! Só no Brasil!*, cheia de indignação.

Então, não conseguia entender ligar a tevê para ficar vendo gente fútil e desocupada dentro de uma casa de luxo fazendo fofoca uns dos outros, fingindo serem amigos, mas querendo eliminar todos os outros para ficarem sozinhos com o prêmio! O que aquilo ensinava? Ah, sim! Porque todo programa de tevê ensina alguma coisa! Só que, às vezes, o que ensina é negativo. Só o que se pode tirar de um programa desses é egoísmo, falsidade, fofoca, futilidade, ociosidade, apelação sexual e uso do corpo como meio de autopromoção. Nada profundo, social, espiritual ou intelectual como qualquer um que tenha um cérebro pode ver.

E há ainda até hoje um grande número de programas que só faz falar em quem ficou com quem, quem *pegou* quem... como se as pessoas colecionassem outras. Como se o número de namoros ou amassos que se tem nos engrandecesse de alguma forma.

Do meu ponto de vista, com quanto mais pessoas nos relacionássemos fisicamente, mais chances teríamos de magoar e ser magoado. As pessoas não são robôs. Não há uma tecla *desliga* para emoções e não via benefícios em ter uma.

Então, por isso parei com as baladas e a coisa de *ficar* e queria tentar um relacionamento de verdade, uma coisa legal do tipo que a Mariângela e o Alberto estavam vivendo. Que Deus me ajudasse a aguentar a pressão! Era muito difícil não ceder mediante as expectativas das amigas. Também quero dizer que inventei uma tribo — do rock — porque na verdade eu não tinha nenhuma e não havia mal nenhum naquilo. Me deixei levar pela pressão e acabei fingindo ser o que não era. Eu era da tribo *ser humano*. Gostava de várias coisas e podia mudar de ideia e não gostar mais depois. Podia mudar de gostos, ter novos interesses. Porque seres humanos mudam constantemente. E eu sou humana.

Não elegi nenhuma tribo, mas tirei coisas positivas de todas as experiências vividas. Não virei *otaku,* mas assistia a um ou outro *anime.* A cultura japonesa é muito rica e os desenhos passam valores morais e de honra que considerei como muito válidos. Quando dava, eu ia aos eventos, que eram muito divertidos, com minha amiga *otaku*. Misturava-me com aquele grupo sonhador e embarcava com eles naquele universo de fantasia, por vezes infantil, por vezes fascinante e muito enriquecedor.

Não entrei para a tribo do livro, porém lia mais do que antes e desenvolvi o gosto pela leitura de forma definitiva – sem desespero, sem pressa, sem pressão. Eu até hoje leio, cada vez mais. Acho que atualmente estou chegando perto dos quarenta livros por ano. Levei algum tempo para isso. Cada um precisa de um tempo para desenvolver certas habilidades. Todos têm seu tempo.

Não virei rata de academia, nem a gostosona sarada do pedaço, mas deixei de ser sedentária. Melhorei meu corpo, passei a fazer exercícios com moderada regularidade. Passei a ir à academia duas vezes por semana para a aula de ginástica, mas se eu precisasse faltar por algum motivo, não ia ficar me martirizando por aquilo... Mais tarde, com o passar dos anos, tentei outros esportes e desenvolvi mais gosto por atividades físicas, embora sempre moderadamente.

Não virei uma festeira, mas aprendi a dançar e me divertir quando vou a uma festa. Virei também uma tremenda paqueradora, mas isso eu também já controlei.

Não virei roqueira, mas confesso que comecei a apreciar mais o rock. Conheci bandas clássicas e letras sensacionais. Melhorei minha cultura. Não tinha ideia do quanto o rock influenciava nossa cultura ocidental. Enfim, saí no lucro.

Não virei *wicca*, nem zen, nem *emo*, nem *hacker*, nem *gamer*, nem *geek*, nem *nerd*, nem *punk,* nem surfista... Bem, você entendeu. Eu, Dina, continuava a ser apenas uma garota levemente inconsequente e impulsiva, sem nenhuma obsessão, eclética, gostando de muitas coisas, sem me apegar demais a nenhuma.

Não fiquei com o Alberto, mas tudo bem. Ele estava com quem gostava dele de verdade, mais do que eu. E ele também a amava. Eu ainda sentia uma pontada de ciúme e um incômodo quando os via juntos e ainda gostava dele. Mas aguardava. Ia passar. Sabia que sim.

Eu queria beijar na boca, mas aprendera que beijar por beijar, ainda que fosse gostoso, tinha que ter hora e não podia ser com qualquer um. E ainda esperava por *aquele* beijo, sabe? Aquele de que falavam na tevê e nos livros... Aquele que arrebata, tira a gente do ar. Sabia que um dia iria me sentir assim e por isso só ia me arriscar a beijar os garotos com quem achava que pudesse rolar o beijo especial, sabe? Se não, seria meio vazio...

Continuei como voluntária. Era um tipo de coisa que gostei de fazer e queria continuar fazendo enquanto eu tivesse tempo e saúde. Tem sido uma das experiências mais importantes de minha vida e estou muito satisfeita com minha decisão de ter aceitado o trabalho.

Aos treze anos, queria me apaixonar, viajar, estudar, ter uma profissão e uma carreira de sucesso — embora eu não tivesse ainda nenhuma ideia do que seria. Queria ter muitos amigos e estar bem com minha família. De que mais uma garota precisaria?

Fiquei sem tribo, sim, mas feliz.

Dinalva.

Tribo?

Ser humano. Brasileira. Carioca. Menina de treze anos. Essa era eu.

A festa de todas as tribos

Passei de ano direto. Pelo menos até o oitavo ano, nunca fiquei em recuperação. Mesmo assim, fui à escola no dia do resultado final com a Ana Clara, para dar uma força para ela. Ela teve sérios problemas em casa ao longo do ano e por isso estudou pouco e acabou ficando em recuperação em três matérias: matemática, geografia e português. Eu também não sei como eu me sentiria se meus pais estivessem se separando. Então, além de escutar Ana Clara falar sobre o problema, tive que ser o ombro amigo quando ela chorou várias vezes com medo de ficar reprovada. Claro que tinha que ajudar quem precisava. Caridade não era só em asilos e creches. Ouvir as pessoas e oferecer conforto e um abraço é caridade moral. E ela era minha amiga, né?

Sim, minha escola reprovava e muito. Por isso era uma boa escola. Não acredite em tudo o que ouve, escola boa é a que reprova e tem disciplina. A gente merece uma educação de verdade. Bem, por isso o medo de Ana Clara. Felizmente, ela passou. Chorou de felicidade e abraçou não somente a mim, mas a todos os professores. Mas vi alguns alunos chorarem de tristeza, porque foram reprovados. Na maioria dos casos, seria injusto se não fossem. Injusto com os outros que estudaram bem mais e se dedicaram.

Ana Clara e eu havíamos marcado com o pessoal do nosso grupinho na sorveteria da esquina do colégio, caso ela passasse, para comemorar o final de ano. Assim que saiu o resultado, passamos mensagem para todo mundo e, meia hora depois estávamos lá na sorveteria, nos enchendo de calorias gostosas e brindando — com sorvete e milkshake — o final de ano e a aprovação de todos nós.

Relembramos os momentos mais engraçados, os mais difíceis e os melhores do ano. Mariângela e Alberto estavam abraçadinhos como sempre. Ela nos contou que falou com seus pais sobre o namoro e eles finalmente concordaram, porque entenderam que os dois de fato se gostavam e não iam ficar longe um do outro.

Bernardo tinha quebrado a perna num salto arriscado na rampa de skate da praça de seu bairro e lamentamos por ele, mas nos divertimos escrevendo mensagens e desenhando carinhas felizes em seu gesso. Ele estava muito aborrecido porque teria que ficar de molho, quando tudo o que desejava era estar sobre seu skate as férias inteiras.

A maioria ia viajar com a família nas férias por uma ou duas semanas, mas combinamos de, nos dias em que estivéssemos no Rio, de nos encontrar ali na sorveteria, na pizzaria ou no shopping.

Mas antes disso, havia o Natal e eu tinha um plano bem audacioso para a data em que comemorávamos o nascimento do Cristo. Havia campanha do quilo na paróquia das irmãs, que a maioria do pessoal da escola frequentava, mas também na igreja da minha vizinha evangélica e no centro espírita da minha outra vizinha. Eu queria ajudar em todas aquelas campanhas, por isso, pedi ajuda aos meus amigos. Eles concordaram em sair pedindo em seus prédios, para vizinhos, amigos e parentes, em supermercados e lojas, além de suas próprias doações.

Envolvemos nossas tribos. Falei com Lílian e o pessoal roqueiro, super do bem, adorou a ideia de contribuir. Bernardo mobilizou a galera skatista. Bóris arrumou mantimentos com todo o seu time de futebol e até com o pessoal dos times adversários! Mariângela e Alberto lançaram campanha nos grupos literários de que participavam. Ana Clara agitou a galera *otaku.* Ana Cláudia falou com as amigas baladeiras. Eu saí pedindo na maior cara de pau: no cursinho de inglês, no prédio, para os meus avós, enfim, geral! Ah, e até na academia! E adivinhem? O professor *chatoso,* o gostosão da malhação, lembram dele? Pois é, ele contribuiu com uma cesta básica completa! Tive que pedir meu pai para ir buscar, porque não aguentei o peso!

No final, distribuí a quantidade pelas três organizações religiosas e suas respectivas instituições para ajuda. O pessoal se animou tanto, que quis ir junto. Então dividimos em grupos para fazer as visitas e entregar as doações. Para minha surpresa, além de alimentos, também conseguimos roupas e brinquedos novos para as crianças carentes.

Por conta de nossas ações sociais, nos integramos mais e nos sentimos mais unidos que nunca. Não só meus colegas e eu, mas os colegas dos meus colegas e seus familiares. Um sentimento de felicidade e satisfação em ajudar, que nos preenchia de tal forma, que parecia que estávamos fazendo o mais legal dos programas, a mais divertida das atividades!

Não dá para explicar... Só sei dizer que quando fazemos o bem, nossas vidas têm mais sentido. Ali não havia mais *otakus,* roqueiros, leitores compulsivos, festeiros, ratos de academia, skatistas, jogadores de futebol, gamers ou sei lá mais o quê! Éramos todos voluntários, doadores solidários, seres humanos preocupados e engajados em uma causa. Foi muito bonito de se ver e lágrimas fizeram parte do processo, claro. Mas lágrimas doces, prazerosas e reconfortantes.

Após um dia de visitas e entregas nas instituições, todos estavam cansados e felizes. No entanto, Ana Cláudia, nossa festeira mor, tinha uma surpresa para nós: havia um "lanchinho", uma "festinha", que sua mãe havia preparado para todos no salão de festas do condomínio dela. Todos estavam convidados! Lógico que alguns recusaram educadamente o convite e não puderam ir, mas muitos toparam e fomos dar o encerramento perfeito para um dia perfeito!

O "lanchinho" acabou sendo uma grande festa para todas as tribos. Circulei pela área, orgulhosa de ver todos juntos, graças a uma ideia minha. Em vez de separados em tribos, esportes ou religião, estávamos todos juntos.

Vi minhas vizinhas discutirem religião — a evangélica e a espírita — enquanto bebiam refrigerante, mas de maneira divertida e levando numa boa, com respeito uma à outra. Cheguei a ouvir uma frase no meio da conversa: "...o que importa é fazer o bem, certo?".

Vi os roqueiros e *otakus* dançando pop sem preconceito, seguindo os passos de Ana Cláudia. Vi gente da academia falando de livro com os amigos de Alberto e os skatistas comentando um jogo de futebol com Bóris.

Muitas músicas e danças. Ana Cláudia colocou *Staying Alive* e *Thriller* de propósito para meu pai e minha mãe darem o show deles. Foi muito legal. Eu tentei acompanhar os passos, assim como uma galera. No entanto, os mais velhos é que arrasaram! Também, da época deles, né? Não me fiz de difícil quando ela colocou nossa dancinha! Aí me soltei!

Foi muito divertido! Uma das melhores festas a que já fui! Fiquei muito satisfeita, ciente mais uma vez de que unir é melhor que dividir. Cada um, lógico, tem seus interesses e gostos e naturalmente se associa aos que lhes são semelhantes, a questão da afinidade. Mas precisamos estar dispostos a respeitar a diversidade e viver com ela. Rotular? Acho que pode sim, mas sem menosprezar. *Otaku* sim, por que não? Roqueiro sim, por que não? E daí por diante.

Parei cansada de tanto dançar e me sentei para bebericar um pouco de refrigerante. A música que tocava no momento era lenta e romântica. Não demorou muito para que meu olhar alcançasse o casalzinho maravilha. Alberto e Mariângela dançavam agarradinhos. A primeira pontada de tristeza do dia me acertou. Ciúmes. Claro. Eu ainda tinha aquele sentimento por ele. Aquele gostar... Sacudi a cabeça para varrer dela tais pensamentos. Não queria que meu fim de festa fosse melancólico. Afinal, o amor maior de todos estava ali na minha frente — todas aquelas pessoas que tinham dedicado seu dia à caridade e ajuda fraterna.

Busquei no fundo do meu coração um consolo. Tinha uma intuição, uma quase certeza de que havia alguém para mim. Ele já estava por aí em algum lugar, esperando para me encontrar... Não sabia quando. Podia ser logo ou demorar anos. A gente poderia se esbarrar na rua, fazer faculdade junto ou se encontrar em uma festa. Podia ser na academia ou no cursinho, no ônibus ou metrô. Não havia lugar nem hora marcada, ou talvez houvesse, eu é que não sabia. Ele poderia aparecer a qualquer tempo ou lugar. Desconhecia seu tipo físico, sua classe social, sua origem, seu temperamento. No entanto, ele existia, estava por aí, eu podia quase sentir...

Eu encontraria o amor ou ele me encontraria. Simples assim. O pensamento me levou um sorriso aos lábios e em seguida percebi que estavam tocando "Unwritten"[4], da cantora e compositora britânica Natasha Bedingfield. Eu simplesmente amava aquela música! Aprendi a cantar no curso de inglês e virou um dos meus xodós no quesito canções em inglês.

Fechei meus olhos um pouco para curtir a música e relembrar a letra, lindíssima, na minha opinião. Lembrei inclusive do clipe, no qual um coral no estilo gospel acompanhava a cantora. Sem poder evitar, movi meus lábios, cantando baixinho junto com o som e refleti sobre os últimos versos:

Feel the rain on your skin/ No one else can feel it for you/ Only you can let it in/ No one else, no one else/ Can speak the words on your lips/ Drench yourself in words unspoken/ Live your life with arms wide open/ Today is when your book begins/ The rest is still unwritten/ The rest is still unwritten/ The rest is still unwritten.

---

[4] NATASHA BEDINGFIELD (compositor: Natasha Bedingfield). "Unwritten". In: **Unwritten**. Phonogenic Records, 2004. CD.

(Sinta a chuva na sua pele/ Ninguém pode sentir por você/ Só você pode deixar acontecer/ Ninguém mais, ninguém mais/ Pode falar as palavras que estão nos seus lábios por você/ Fique encharcado pelas palavras não ditas/ Viva sua vida de braços abertos/ Hoje é quando começa o livro da sua vida/ O resto ainda está por ser escrito/ O resto ainda está por ser escrito/ O resto ainda está por ser escrito).

Então, era assim que eu me sentia. Minha vida estava apenas começando, o meu livro da vida com muita coisa ainda em branco e por ser escrita. Só eu podia viver por mim mesma, fazendo minhas próprias escolhas. E o que eu decidisse colocar naquele livro era por minha conta. Eu estava de braços abertos para o que o futuro me traria.

Fim

Agradecimentos

Agradeço a Deus, força sublime que rege o universo, por me dar tantas ideias. Sinto-me, portanto, obrigada a fazer algo com essas ideias, com essa vontade de escrever e com a facilidade que tenho para tal. É mais que uma vontade, é um dever.

Agradeço sempre a minha família, que está sempre ao meu lado em todos os momentos e, especialmente aqui, minha filha Tábata, minha companheira de Letras, quem melhor entende as minhas angústias de escritora.

Agradeço, por fim, a todos os professores, alunos e amigos que tive, com os quais sempre pude aprender algo.

Visite as Páginas oficiais

www.lereditorial.com

twitter@Ler_Editorial

www.facebook.com/lereditorial

www.instagram.com/lereditorial

pinterest.com/lereditorial/